JN291496

上級から超級へ

# 日本語超級話者へのかけはし

きちんと伝える技術と表現

荻原稚佳子・齊藤眞理子・伊藤とく美 ◆ 著

スリーエーネットワーク

© 2007 by Ogiwara Chikako, Saito Mariko and Ito Tokumi

All rights reserved. No part of this publication may be reproduced, stored in a retrieval system, or transmitted in any form or by any means, electronic, mechanical, photocopying, recording, or otherwise, without the prior written permission of the Publisher.

Published by 3A Corporation.
Trusty Kojimachi Bldg., 2F, 4, Kojimachi 3-Chome, Chiyoda-ku, Tokyo 102-0083, Japan

ISBN978-4-88319-449-0 C0081

First published 2007
Printed in Japan

## はじめに

　あなたは、今、興味のあることや社会的な問題について詳しく説明したり、自分の意見をわかりやすく述べたりすることができますか。そして、話をしている相手に、あなたの話に興味を持ってもらえますか。また、相手と異なる意見を述べるときにも楽しく意見交換をすることができますか。

　このテキストは、これらの質問に「はい」と答えられるようになるために作られました。実際の生活場面で言葉に困ることはないけれども、複雑なことが説明できなかったり、最近、話題になっている社会的な問題について詳しく話せなかったりして、自分の考えていることや感じていることを適切に伝えられなかったことがある方には、是非、勉強してもらいたいと思います。

　それに、日本人の友だちとも会話を楽しめるけれど、意見を交わすような場合に、どうも気持ちよく聞いてもらえない気がするという人にも、コミュニケーションが単に情報を伝えるだけの活動ではないことを理解してもらいたいと思います。そして、自分のいろいろな気持ちや本当に伝えたいことをわかってもらうような話し方、話し相手の本当の気持ちを理解するような聞き方を学び、お互いによりよく知り合うためのヒントを得ることも目指して作られています。

　このテキストを通して、一人でも多くの人が、楽しく会話をすることができるようになることを祈っています。

2007 年 8 月<br>
著者一同

# このテキストを使って指導する方へ

本書は日本語の会話テキストである『日本語上級話者への道―きちんと伝える技術と表現』に続く、さらに上のレベルの日本語会話のテキストとして作成したものです。

## 1. 本書の理念

### ①会話指導の目標を具体的に提示

目標とする学習項目や語彙などが比較的明確な初級の指導と異なり、中・上級話者への会話指導は目標がわかりにくいと言われます。特に、上級レベルになると、さまざまな話題について、十分ではないけれども一応は話せるので、何か足りないとは感じても、何をどのように指導し上達させればいいのか具体的にはわからないという声をよく聞きます。そこで、本書では、上級話者が超級話者になるために何が必要かを具体的に示し、学習者にも、指導者にも、目標がわかりやすいようにしました。

### ②超級話者に必要な能力を明示

超級話者になるために必要な能力については、ACTFL-OPI（全米外国語教育協会、口頭能力インタビュー試験）の言語運用能力基準を参考にしています。超級話者として、どのようなことができなくてはならないかを各課の機能上の目標としました。具体的な機能上の目標は、（1）社会的・専門的な話題についての詳細な説明、描写などができること、（2）相手との関係を損なうことなく、説得力のある裏づけを伴った意見を述べたり、相手の意見に反論したりできること、（3）相手に対する配慮を示しながら、説得・助言・交渉などができるようになることです。

### ③上級話者に欠けている能力の明示と意識化

私たちの長年の会話分析研究の結果から、上級話者が超級話者になるために足りない点がいくつか明らかになっています。それは一言で言うと、論理的明解さと話し方のバラエティの欠如と言えます。具体的には、（1）ある話題について自分の体験に基づいた一面的な意見しか述べられず、さまざまな視点から見た意見が述べられないこと、（2）抽象的な考え方と具体的な事実を織り交ぜて論理的に意見を述べられないこと、（3）話題にふさわしい語彙や擬態語・慣用句などこなれた表現が使えないために、物事を簡

潔かつ端的に説明できず、回りくどい話し方になってしまうこと、(4) 場面や相手に応じて話し方が適切に変えられないことなどです。

　本書では、各課の話題に応じて、こうした克服すべき点を明示しました。話すべき内容とその構成を意識しながら、語彙・表現を豊かにし、自然に無理なく超級話者としての能力がつけられるよう工夫しています。

### ④話し上手・聞き上手になるための気づきと内省

　さらに、本書では、情報を伝えるという働きとは異なるコミュニケーションの側面にも注目しています。それは、人間関係を育て、維持していくという視点です。どんなに詳しく論理的に話せたとしても、あまりあの人と話したくないと思われるような話し手になっては困ります。たとえ言いにくいことを伝えたり、異なる意見を述べたりする場合にも、人間関係を修復したり、相手への配慮を示せることを目指しています。そのために、話し手としてだけではなく、聞き手として感じたことを内省するための活動を盛り込んでいます。

## 2. シラバスと目標

　本書では、機能・話題シラバスで構成されており、各課に3つの目標が明示されています。

①**コミュニケーションの機能上の目標**：論理的で説得力のある意見、情景や心情の詳しい描写、複雑なことの説明、社会問題の説明など。

②**効果的で効率的な話し方を目指す上での目標**：場面や相手に適した話し方、意見などを裏づける具体的な情報の提示の仕方、よりわかりやすく伝えるための表現・語彙の使い方など。

③**人間関係を考慮したコミュニケーションのストラテジー上の目標**：異なる考え方や感じ方を認め尊重しながら、お互いの考え方を伝える姿勢など、心理学やコミュニケーション論などの考え方を盛り込んだストラテジー上の目標で、聞き手としての役割を意識させて、よい話し手・聞き手になることを目指すためのもの。

＊これらの3つの目標については、各課終了後、9ページのチェックシートで意識化することができます。

## 3. 本書の構成

①本冊

本書では、各課が大体次のような構成で組み立てられています。

```
● さあ 始めよう！
● 何をどんな順序で
Step.1
● どんなことばで 1
● やってみよう 1
● 話す技法・聴く技法 ●
Step.2
● どんなことばで 2
● やってみよう 2
```

＊【話す技法・聴く技法】は「やってみよう」1か2の後に入っています。

- **さあ 始めよう！**：各課の話題についていくつかの質問に答えたり、これまでの経験を思い起こしたりすることで、話題に関心を持つ。
- **何をどんな順序で**：その話題について話す場合に、一般的によく話される内容とその談話構成を明示することにより、話す内容と順序についての意識化を図る。特に、談話構成については、学習者が構成を意識することにより、論理的で詳しい話ができるようになり、またわかりやすくなる。

**Step.1** **Step.2** ：二つのStepで、話す内容を少しずつ充実させたり、別の視点から話の内容を深めたり、話し方の形態を変えたりしてさまざまな場面に対応ができるようになる。各 Step は、次のコーナーにより構成されている。

- **どんなことばで**：「やってみよう」の活動に必要な語彙や表現について問題形式で勉強する。
- **やってみよう**：学んだ構成、語彙・表現を使って各課の話題について実際に話してみる。

● **話す技法・聴く技法** ●：「やってみよう」で話したときの気持ちなどを振り返ることで、楽しく気持ちよいコミュニケーションをするには、どんな話し手・聞き手がいいのか、どんなストラテジーを身につければいいのかについて考える。

次のようなページやコーナーもあります。
**[あなたのことばメモ]**：自分が実際に話すときに必要なことばを調べてメモするコーナー。
**チェックシート**：各課の終了後、それぞれの３つの目標についてうまく話せるようになったか、または、意識できるようになったかを自分自身でチェックするページ。

②**別冊**：解答
　　　　●何をどんな順序で、●どんなことばでの解答例や発話例。

## 4. 本書を使った指導に関する基本情報

①**対象者・レベル**：上級以上の学生、社会人

②**所要時間**：１課ごとに完結で、約90分の授業を想定。

③**クラスサイズ**：20人程度まで

④**テキスト・活動のタイプ**：教室活動の中で、学習者自身が必要なことばを書き込んで、自分のための会話テキストに仕上げていく。また、どんな教師でも、すぐ教室で授業ができるテキスト構成になっており、ペア・ワーク、グループ・ワーク、発表など活動スタイルが多様で、楽しく言語活動が行える。

⑤**文字表記**：原則的に、日本語能力試験２級以上の漢字には、各ページ初出のものにふりがなをつけた。

⑥**太字表記**：その課の話題を話すときに、よく使われる表現を太字にした。

## [目次]

- チェックシート …………………………………… 9
- 第1課　好きなシーンを紹介しよう ……………… 11
- 第2課　子どもたちに母国の行事を紹介しよう … 21
- 第3課　困った状況を伝えて交渉しよう ………… 33
- 第4課　不満に対処しよう ………………………… 43
- 第5課　目上の人に注意を促そう ………………… 55
- 第6課　グラフや表を説明しよう ………………… 67
- 第7課　ステレオタイプを打ち破ろう …………… 77
- 第8課　就職試験制度について説明しよう ……… 87
- 第9課　働くことの意義について討論しよう …… 97
- 第10課　環境問題について話そう ………………… 109
- 第11課　犯罪傾向から現代社会を語ろう ………… 121
- 第12課　マスコミの功罪について討論しよう …… 131

[チェックシート：各課でできるようになったこと]

できたかどうか自分でチェックしましょう。 ◎とてもよくできた ○よくできた △もう少し ×できなかった

| 課 | | 目標1 | 目標2 | 目標3 |
|---|---|---|---|---|
| 12課 | マスコミの功罪について討論しよう | 複眼的視点を持って意見を述べる。 | 原因を理解した上で解決策を述べる。 | 異なる意見を尊重する。 |
| 11課 | 犯罪傾向から現代社会を語ろう | ほかの人の話を引用して詳細に描写する。 | 事実とともに意見・感想を述べる。 | 社会的背景にも配慮する。 |
| 10課 | 環境問題について話そう | 起こりうる状況を予測して議論を深める。 | 改まった場にふさわしい表現を使いこなす。 | 具体例を挙げるなどして実感を持って伝える。 |
| 9課 | 働くことの意義について討論しよう | 理由を述べて反論する。 | 抽象的なことばと具体的なことばを意識する。 | 相手の意見をしっかりと受け止める。 |
| 8課 | 就職試験制度について説明しよう | 抽象的で複雑な制度を説明する。 | それぞれの立場のメリット・デメリットを考える。 | 相手にわかりやすいように段落ごとの話題を明示する。 |
| 7課 | ステレオタイプを打ち破ろう | ほかの人とは異なる視点から意見を述べる。 | 決めつけない話し方をする。 | 互いの捉え方の違いを理解する。 |
| 6課 | グラフや表を説明しよう | 具体的な数値を示して社会の動きを説明する。 | 目的に応じてグラフや表をわかりやすく説明する。 | データの分析を踏まえながら聞く。 |
| 5課 | 目上の人に注意を促そう | 適切な待遇表現を使って相手の状況を把握し情報を提供する。 | 失礼にならないように注意を促す。 | 相手の立場を尊重して配慮のことばを付け加える。 |
| 4課 | 不満に対処しよう | 不満に対して異なる視点を提示する。 | インフォーマルな表現で不満を述べる。 | 相手に同調して話を聞く。 |
| 3課 | 困った状況を伝えて交渉しよう | 心情を表す表現を使いこなす。 | 解決策を示して客観的に伝える。 | 感情的にならずに気持ちを客観的に伝える。 |
| 2課 | 子どもたちに母国の行事を紹介しよう | インフォーマルな話し方で親しみを込めて話す。 | 視覚に訴え、擬音語・擬態語を使い生き生きと伝える。 | 相手の興味・関心を引きつける工夫をする。 |
| 1課 | 好きなシーンを紹介しよう | ある情景を詳しく描写する。 | 全体のイメージがわかるように抽象的な表現を使う。 | 短く的確に伝えて聞き手の想像力をかき立てる。 |
| | | スタート | | ゴール |

# 第1課
# 好きなシーンを紹介しよう

---【目標】---

1. ある情景を詳しく描写する。
2. 全体のイメージがわかるように抽象的な表現を使う。
3. 短く的確に伝えて聞き手の想像力をかきたてる。

● **さあ始めよう！**

好きな映画や何度も繰り返し読んだ本がありますか。
(                                                    )

その中で、よく覚えている場面や好きなシーンがありますか。
(                                                    )

第1課：好きなシーンを紹介しよう

● 何をどんな順序で

> 映画や本の1シーンなどは、ことばで説明するのが難しいことがあります。全体的な雰囲気を説明したあと、中心的なことがらから、具体的で細かいことへと説明するとわかりやすく説明できます。

Ⅰ. | 映画・本のジャンル |　・全体的イメージ　　　　　　　　　　　　　　　（　）
　　　　　　　　　　　　・シーンの出てくる全体の中の位置

Ⅱ. | 場面の内容と意味づけ |　　　　　　　　　　　　　　　　　　　　　　（　）

Ⅲ. | 具体的な情景 |　　　　　　　　　　　　　　　　　　　　　　　　　　（　）

Ⅳ. | まとめ |　・自分の気持ちや物語のテーマ　　　　　　　　　　　　　　（　）

次のa～dは、上のⅠ～Ⅳのどの部分に当たるでしょうか。

a．好きなシーンは、主人公の中年サラリーマンが深夜、雨の中、一人でダンスの練習に没頭しているというシーンで、どんどんダンスにのめりこんでいくようすが表されています。

b．そのシーンでは、主人公が自宅の最寄り駅の前の広場で夢中になって一人練習をしています。実は、その姿を、夫の行動を不審に思った奥さんに雇われた探偵が見ているのですが、それにも気づかず、ひたすら軽やかにステップを踏んで踊っています。

c．わたしは「Shall we ダンス？」という映画の中盤に登場するシーンが気に入っています。この映画は、中年版青春ドラマで、人生の目的を見失った中年サラリーマンが、社交ダンスを始めたことで、生き生きとした生活を取り戻すという話で、何気ない日常の場面に人々の生き方が表現されています。

d．それまでの無気力な毎日がうそのように、主人公の楽しい気持ちが軽やかなステップに表れていて、こちらまでうきうきしてくるような生きる喜びにあふれている素敵なシーンでした。このシーンこそ、この映画のテーマである「中年サラリーマンの生きがいとは何か」を表しているシーンだと思います。

好きなシーンを紹介しよう：第1課

# Step.1 【全体的な印象とそのシーンの意味づけ】

● どんなことばで　1

1）シーンの位置

> 好きなシーンを説明するとき、まず、そのシーンが映画全体のどこで出てくるのかを伝えます。

映画の始まり　→　真ん中　→　一番盛り上がったところ　→　映画の終わり
（　　　）　　　（　　　）　　　（　　　）　　　　　　　　（　　　）

| a．ラストシーン　　b．中盤　　c．冒頭　　d．クライマックスシーン |

2）a～dはある映画の全体的なイメージを説明していますが、①～④のどのジャンルの作品だと思いますか。また、知っている作品の題名をあげてみましょう。

> 映画などのある場面を説明するときには、まず、映画そのものについても簡単に説明する必要があります。映画のジャンルと全体的な印象を短くまとめて話すと、聞いている人は場面についてもイメージしやすいです。

a．実際に起こったある出来事や事件を丹念に追ってゆき、そこで繰り広げられる人々の苦悩と喜びを通して、その裏にある真実や伝えられていなかった事実を新たな側面から明らかにしていきます。

b．奇想天外なストーリーやドタバタのストーリーで、だれもが文句なく楽しめます。

c．子ども向けだと思われがちですが、現実の世界とは異なるファンタジーの世界があり、主人公の純粋な心を通して見た、社会の矛盾に対する強いメッセージが込められています。

d．ある時代のヒーローやヒロインを中心に描かれており、主人公の心情やその時代の人々の生き方から、人間がこれまでにたどってきた道を振り返る機会を与えてくれます。

第1課：好きなシーンを紹介しよう

【ジャンル】　　　【全体的なイメージ】　　【このジャンルの映画・本の題名】
① アニメ　　　　（　　　　）　　（　　　　　　　　　　　）
② ドキュメンタリー（　　　　）　　（　　　　　　　　　　　）
③ 歴史（れきし）　（　　　　）　　（　　　　　　　　　　　）
④ コメディ　　　（　　　　）　　（　　　　　　　　　　　）

3）①～⑦の中から好きな映画のジャンルを選び、全体的なイメージを（　　）の中のことばを使って、友だちに説明（せつめい）してみましょう。

① 社会派（は）（社会の矛盾（むじゅん）に迫（せま）る・権力（けんりょく）と闘（たたか）う姿（すがた）を追（お）う）

② アドベンチャー（果敢（かかん）に立ち向（む）かう・スピード感（かん）・躍動感（やくどう））

③ ホラー（次々（つぎつぎ）と繰（く）り広げられる・思わず目を背（そむ）ける・怖（こわ）いもの見たさ）

④ ラブ・ロマンス（人間模様（もよう）・ほのぼのとして心温（あたた）まる感じ）

⑤ アクション（ＣＧを多用・格闘（かくとう）シーンが見せ場・爽快感（そうかい）がある）

⑥ 青春（せいしゅん）（だれでも思い当（あ）たるような経験（けいけん）・胸（むね）がきゅんとなる）

⑦ ＳＦ（無機質（むきしつ）な近未来（きんみらい）を舞台（ぶたい）にする・想像力（そうぞう）に富（と）んだストーリー）

4）シーンの意味づけ

> 全体のイメージを説明したあと、そのシーンが話の中で、どんな意味を持っていたかを短く的確に話すと、より一層シーンの重要性が伝わります。

① 何度も試合に負けていた彼でしたが、やっと本当の力を出して勝つことができ、**拍手喝采を受ける**という、映画全体の中で

② **長い間お互いに敬遠しあっていた**二人でしたが、どちらからともなく声をかけ

③ 彼女を助けるために大変な苦労をしながら、遠い道のりを**駆けつける**のですが、結局間に合わず、

④ 主人公の不注意が原因で、恋人が船から足を滑らせてしまいました。**彼女に手を差し伸べる**のですが、**力及ばず**、彼女は海に落ちてしまい、

⑤ 何度も裏切られた恋人のもとを、主人公が**迷いを振り切って**去っていく姿が、

・a これまでの**努力が水の泡になる**のかと感じたシーンです。

・b 一番盛り上がる場面です。主人公も**歓喜の声を上げる**というクライマックスシーンです。

・c その後、主人公はただただ**後悔の念にさいなまれる**ようになるのです。

・d 初めて相手の良さに気づき、**お互いの心を通わせる**というシーンです。

・e **愛憎劇の終結を示している**重要なシーンです。

第1課：好きなシーンを紹介しよう

## ● やってみよう ①  [ペアワーク]

自分の好きな作品の中のシーンについて話してみましょう。

[話すためのメモ]

| |
|---|
| Ⅰ．映画・本のジャンル |
| Ⅱ．場面（ばめん）の内容（ないよう）と意味づけ |

[友だちの話メモ]

| |
|---|
| Ⅰ．映画・本のジャンル |
| Ⅱ．場面の内容と意味づけ |

好きなシーンを紹介しよう：第1課

● 話す技法・聴く技法 ●

友だちの話を聞いて、そのシーンについて、もっと話を聞いてみたいと思いましたか。
　　（　はい　・　いいえ　）

「はい」の人はどうしてそう思いましたか。
・映画全体の長い話を短くわかりやすく話してくれた。
・そのシーンの意味づけを聞いてもっと詳しく知りたくなった。
・その映画のジャンルそのものに興味を持った。
・その他：

自分の話に友だちは興味を持ってくれましたか。
　　（　はい　・　いいえ　）

「いいえ」と答えた人はどうしてそう思いましたか。
・話が長くなったので途中で飽きているように見えた。
・イメージだけで、具体的な説明がなかったので、そのシーンを想像できなかった。
・話に集中していない感じがした。
・友だちが話したい話題に変えようとした。
・その他：

　人はみな感じ方や興味を持つものが違います。相手に興味を持ってもらうためには、いろいろ工夫をして伝える必要があります。
　話の内容については、抽象的な表現を使って要点だけを上手にかいつまんで話して、だらだらと長く話さないほうがいいです。その一方で、シーンなどは具体的に詳しく話して、抽象的な部分と具体的な部分をうまく組み合わせて話すといいでしょう。
　次に、具体的にシーンを説明する練習をしてみましょう。

第1課：好きなシーンを紹介しよう

## Step.2 【具体的(ぐたいてき)なシーンの説明と自分の気持ちやテーマ】

● どんなことばで 2

1) ①〜⑦が表(あらわ)しているシーンを例(れい)のように実際(じっさい)にやってみましょう。演出家(えんしゅつか)になって、友だちに演(えん)じてもらいましょう。そのとき、表情(ひょうじょう)にも注意して演技指導(えんぎしどう)しましょう。

> そのときの気持ちや登場(とうじょう)人物の人間関係(かんけい)が伝(つた)わるように情景(じょうけい)を話しましょう。

例：男女二人が並(なら)んで座(すわ)り、一人が隣(となり)の人の腰(こし)に手を回している。

① 呼びかけられているのに、こちらに背(せ)を向(む)けて立っている。
② 男の人が女の人の肩(かた)に手を置(お)いている。
③ 身(み)を守(まも)るために何かを持って、構(かま)えている。
④ 女の子が呆然(ぼうぜん)とただ立(た)ち尽(つ)くしている。
⑤ 男の人が女の人のところに今まさに駆(か)け寄(よ)ろうとしている。
⑥ 子どもがベッドに横(よこ)たわっている脇(わき)で、男の人が背中(せなか)を丸(まる)めて座っている。
⑦ 海を眺(なが)めながら、たたずんでいる男女。

好きなシーンを紹介しよう：第1課

## 2）気持ちを伝える擬態語・副詞

> そのときの自分の気持ちも一緒に伝えると、より一層シーンの雰囲気がわかります。擬態語や副詞を上手に使って、短いことばで感情やようすを的確に伝えましょう。

① 見終わったあとに、愛のあり方について（　　　　）考えさせられました。
② すれすれのところを主人公がすり抜けていき、本当に大丈夫かと心配で、見ているものを（　　　　）させます。
③ あまりの恐ろしさに背筋が（　　　　）しました。
④ 行間に込められた感情（愛情・悲しみ・切なさ）が伝わってきて、感動して（　　　　）きました。
⑤ 次々と手強い悪者を倒していくストーリーが気持ちよく、見終わったあとに（　　　　）しました。
⑥ 楽しいシーンが次々に繰り広げられて、次にどんなすばらしいことが起きるのだろうと（　　　　）しました。

| a．しみじみと | b．じーんと | c．ぞっと |
|---|---|---|
| d．わくわく | e．はらはら | f．すかっと |

気持ちを伝える擬態語や表現には、次のようなものもあります。

- 涙なしには見られない
- 涙がぽろぽろとこぼれる
- 胸がきゅんとする
- 心の奥深くにずしんと響く
- 期待と興奮でぞくぞくする
- 恐怖に鳥肌が立つ

第1課：好きなシーンを紹介しよう

## ● やってみよう ②  [グループワーク]

やってみよう①の内容を発展させて、Ⅰ．映画・本のジャンル～Ⅳ．まとめまで話してみましょう。

[話すためのメモ]

| |
|---|
| Ⅲ．具体的な情景 |
| Ⅳ．まとめ |

[友だちの話メモ]

| | （　　　）さん | （　　　）さん | （　　　）さん |
|---|---|---|---|
| Ⅰ．映画・本のジャンル | | | |
| Ⅱ．場面の内容と意味づけ | | | |
| Ⅲ．具体的な情景 | | | |
| Ⅳ．まとめ | | | |

# 第2課
# 子どもたちに母国の行事を紹介しよう

---【目標】---

1. インフォーマルな話し方で親しみを込めて話す。
2. 視覚に訴え、擬音語・擬態語を使い生き生きと伝える。
3. 相手の興味・関心を引きつける工夫をする。

● さあ始めよう！

日本の学校で自分の国の行事について説明をしたことがありますか。
(                                    )

自分の国についてどんなことを紹介したいですか。
(                                    )

第2課：子どもたちに母国の行事を紹介しよう

## ● 何をどんな順序で

> 自国の伝統行事について紹介するとき、まず、聞く人を引きつけることばを用いて相手に興味を持たせます。さらに、実物や写真などで視覚的に訴え、擬音語や擬態語を用いて生き生きと表現することが大切です。

I. はじめに ・実物・写真・引きつける表現などで興味を持たせる （　）

II. 行事の概要 ・行事名・行う時期・場所 （　）

III. 行事の由来 ・始まった時期・背景・目的 （　）

IV. 具体的な内容 ・準備するもの・参加者・場所のようす・すること （　）

V. まとめ ・感想・意見、確認、お礼 （　）

次のa～eは、上のI～Vのどの部分に当たるでしょうか。

a. 「ひな祭り」というのは3月3日に行われる女の子のための行事なんだよ。女の子がすくすく育つことを願って、ひな人形を飾るお祭りなんだ。

b. 皆さん、こんにちは、これから日本の行事の紹介をします。これ、見たことありますか？これはひな人形と言います。

c. 日本には昔から厄、つまり病気や悪いことを、人形に身代わりになってもらって、子どもが健やかに育つことを願う習慣があったんだよ。それと「ひいな遊び」という人形遊びが混ざり合って行われるようになったんだって。

d. 華やかで楽しい「ひな祭り」という行事を紹介しました。聞いてくださってありがとうございました。どうでしたか。日本にはいろいろなお祭りがあるので、ぜひ参加してみてくださいね。

e. 女の子のいる家ではおひな様を飾るんだ。友だちを呼んで、わいわいにぎやかにひなあられやちらし寿司を食べたり、大人は白酒を飲んだりするんだよ。桃の節句とも言われて、ひな壇に桃の花を飾る家が多いんだ。

## Step.1 【親しみを示す話し方と概要・由来】

● **どんなことばで** 1

1) 次のインフォーマルな表現は子どもたちに母国の行事を紹介するときに適切でしょうか。使えるものに○、文法的に間違っているものやあまり適切でないものに×をつけてください。

> インフォーマルな表現は、機械的に敬体を常体に変えればいいということではありません。使い方に注意しましょう。

| フォーマル（丁寧）な表現 | インフォーマルな表現 | | | |
|---|---|---|---|---|
| ① 見たことがありますか。 | 見たことある？ | （　） | 見たことあるか？ | （　） |
| ② ご説明します。 | 説明する。 | （　） | 説明するね。 | （　） |
| ③ わたしは大学生です。 | わたし、大学生。 | （　） | わたし、大学生だ。 | （　） |
| ④ 何歳ですか。 | 何歳？ | （　） | 何歳か？ | （　） |
| ⑤ いいです。 | いい。 | （　） | いいだ。 | （　） |
| ⑥ いいですか。 | いい？ | （　） | いいだか？ | （　） |
| ⑦ にぎやかですか。 | にぎやか？ | （　） | にぎやかだか？ | （　） |
| ⑧ お祭りになったのです。 | お祭りになったんだ。 | （　） | お祭りになったのよ。 | （　） |
| ⑨ 子どももするのですか。 | 子どももするの？ | （　） | 子どももするのか？ | （　） |

2) インフォーマルな表現には、下の表のように3種類あります。次のフォーマルな表現をインフォーマルな表現に直して親しみを持った言い方にしましょう。

> 子どもに話すときはインフォーマルな表現を使って呼びかけ、親しみを持たせる方法もあります。

| フォーマルな表現 | インフォーマルな表現 | | |
|---|---|---|---|
| | だれでも使える | 男性的 | 女性的 |
| みなさん、聞いてください。 | みんな、ちょっと聞いて。 | みんな、ちょっと聞いてくれ。 | みんな、ちょっと聞いてね。 |

第2課：子どもたちに母国の行事を紹介しよう

### フォーマルな表現
皆さん、ちょっとよろしいですか。これを見てください。これは何だかわかりますか。そうです。「こいのぼり」というものですね。日本の「こどもの日」に家の外に飾ります。これは僕の一番大切な写真です。見たいですか。こどもの日に撮った家族の写真なのです。

### インフォーマルな表現
⇒


3）行事の目的

> 友だちに行事の目的を説明するときには、下のような表現をよく使います。このような表現は子どもに話すときには使いませんが、簡潔に伝えられます。

「こどもの日」
① 5月5日は「こどもの日」です。家族が集まって子どもの（　　　　）日です。
② 家の外にこいのぼりを立て、家にはかぶとや武者人形を飾ります。これらには男の子が元気でたくましく育つようにという（　　　　）んです。
③ この日の特別な食べ物は、ちまきや柏餅です。また、菖蒲湯に入ります。菖蒲は香気が強く、昔から、不浄や（　　　　）ものとされています。

「お盆」
④ 「お盆」というのは1年に一度亡くなった人の魂が戻ってくるときとされ、（　　　　）大切な行事となっています。

「秋祭り」
⑤ 「秋祭り」は今年収穫された物を神にささげ、（　　　　）ものです。みこしをかついで町内を練り歩いたり踊ったりして、村や町を挙げて行う行事です。

「初もうで」
⑥ 正月には寺や神社に「初もうで」に行きます。新しい1年の（　　　　）ためです。中国や韓国など正月を旧暦（太陰暦）で祝う国もあり、日本国内でも中華街などで旧暦による祝賀行事が行われています。

> a．邪気を払う　　　　　b．自然の恵みや実りを感謝する
> c．成長を祝う　　　　　d．死者の冥福を祈る
> e．願いが込められている　f．健康を願い災難が起きないように祈る

## ● やってみよう １  ペアワーク

あなたの国の行事や祭りについて、インフォーマルな表現を使って親しみを示しながら紹介してみましょう。

[話すためのメモ]

```
Ⅰ．はじめに


Ⅱ．行事の概要



Ⅲ．行事の由来
```

[友だちの話メモ]

```
Ⅰ．はじめに


Ⅱ．行事の概要



Ⅲ．行事の由来
```

第2課：子どもたちに母国の行事を紹介しよう

## ● 話す技法・聴く技法 ●

- 友だちの話を聞いているとき親しみが感じられましたか。
  （　はい　・　いいえ　）

- 「いいえ」の人はどうしてそう思いましたか。
  ・表現が硬くて親しみが持てなかった。
  ・資料をそのまま読んでいた。
  ・インフォーマルな表現がなかった。
  ・自分の国の行事に似たものがなかった。
  ・その他：

- どうしたらもっとわかりやすくておもしろくなるでしょうか。
  ・親しみのある表現で話す。
  ・ジェスチャーを加える。
  ・ときどきメモを見る程度にして、できるだけ友だちの顔を見て話す。
  ・その他：

- 紹介した行事についてみんなにわかってもらえたと思いますか。
  （　はい　・　いいえ　）

- 「いいえ」の人はどうしてわかってもらえなかったと思いますか。
  ・視覚に訴えられなかった。
  ・親しみを持ってもらえる工夫ができなかった。
  ・説明が長すぎて興味がなくなったようだ。
  ・その他：

---

聞く人に興味を持ってもらう工夫として下の①から⑧のようなものがあります。使えるものがあったらStep.2で使ってみましょう。
①歌を交える　②実際に遊びを紹介する　③絵をかく　④文字を書く
⑤紙芝居を見せる　⑥人形やおもちゃを見せる　⑦食べ物を一緒に食べる
⑧紹介する国のものを持参したり身につけたりする

子どもたちに母国の行事を紹介しよう：第2課

# Step.2 【生き生きと伝える具体的な内容】

● どんなことばで ②

1) 行事の具体的な内容について子どもにわかりやすいように平易なことばに言い換えましょう。

> 話しことばを使い、文の途中や文末に「ね」「よ」などの助詞を入れると、より親しみを持たせることができます。ただ、多用すると不自然な話し方になるので、気をつけましょう。

例：「秋祭り」
自然の恵みと収穫に感謝して、地域の人が輪になって盆踊りが行われます。
⇒ 田や畑で野菜や果物がたくさん採れるでしょ。神様にありがとうっていう気持ちでみんなが集まって丸くなって盆踊りをやるんだよ。

① 「どんど焼き」
どんど焼きは正月の飾りや書初めを持ち寄って燃やし、その火でもちを焼いて食べたり煙を体に浴びて無病息災を願う行事です。
⇒

② 「こどもの日」
屋外にこいのぼりを立て、室内にはかぶとや武者人形を飾ります。
⇒

③ 「お盆」
お盆には祖先の霊が帰ってくると言われ、仏壇に収穫したての野菜や果物を供えます。
⇒

④ 「ハロウィン」
かぼちゃのランタンが戸外に並べて飾ってあり、夜になるとろうそくの火がともり、幻想的で美しいです。
⇒

第2課：子どもたちに母国の行事を紹介しよう

2）ようすや動作を伝える擬音語や擬態語

> ようすや動作などを擬音語や擬態語で表現すると生き生きと伝えることができます。

## 「ハロウィン」について

① 秋になると、町にかぼちゃのランタンが飾られ、子どもたちは（　　　）しながらその祭りの日を待ちます。

② 仮装をした子どもたちが、かぼちゃのランタンの飾ってある家に向かって（　　　）歩いています。

③ 子どもたちはいろいろなお菓子をもらって（　　　）家に帰ります。

④ 夜、家の中から黒い影を見て、子どもたちは（　　　）震えています。

⑤ お祭りが近づくと、店にはお祭り用の品物が（　　　）並びます。

⑥ 近所の家を回って、あめやお菓子を持ちきれないほど（　　　）もらいます。

| | | |
|---|---|---|
| a．うきうきと | b．ぞろぞろ | c．ずらりと |
| d．わくわく | e．ぶるぶる | f．どっさり |

● やってみよう ② 発表

やってみよう①の内容を発展させて、Ⅰ．はじめに〜Ⅴ．まとめまで話してみましょう。聞いた人は詳しく知りたい点について質問してみましょう。

> インフォーマルな表現で親しみを持たせる場合でも、初めと終わりは少し丁寧に話すのが一般的です。フォーマルな表現で話すと、「初めのあいさつ」、「終わりのまとめの部分」だというサインになります。

「異文化理解講座」で、日本の小学生に、自分の国の伝統行事について紹介する例

（　　）内は聞いている小学生のことばです。

Ⅰ．みなさん、こんにちは。僕はアメリカから来たロバートです。今日はアメリカの伝統行事について、みなさんに紹介したいと思います。
　　これ、知ってるかな。（あっ、ハロウィンだ。）そう「ハロウィン」だね。

Ⅱ．「ハロウィン」っていうのは、日本のお盆のようなもので、10月31日の晩にやるんだ。この日は死んだ人が悪い霊になって帰ってくると考えられているんだ。だから、びっくりして逃げていくように、お化けの仮装をするんだよ。子どもたちが「何かくれないと、いたずらするぞ」って言いながら、（トリック・オア・トリートって言うんだよね？）そう、そして、近所の家をぞろぞろ歩き回って家の人からあめやお菓子をもらうお祭りなんだ。（いいなあ。）

Ⅲ．もともとはアイルランドで夏の終わりに、収穫を祝うために始められたものが今のような形になったんだって。（ふうん。）

Ⅳ．秋になると、スーパーにはハロウィン用のお菓子がずらりと並ぶんだ。仮装した店員が子どもたちにお菓子を配ったりして、大人も一緒に楽しむ行事なんだ。僕の家でも家族でいろいろな仮装をして、わくわくしながら近所を回ってお菓子をどっさりもらったよ。でも、気をつけなくちゃいけないことがあるんだけど、何だと思う？（お菓子食べ過ぎないこと？）ハロウィンの日に行ってもいいのは、かぼちゃのランタンが飾ってある家だけなんだ。それに、お菓子に何か悪い物が入っていることもあるから、食べずに家に持ち帰って、大人に

第2課：子どもたちに母国の行事を紹介しよう

> チェックしてもらわなくちゃいけなんだよ。（はーい。）
> Ⅴ．はい、これで、ハロウィンの説明を終わります。何か質問したいことありますか？　聞いてくれてありがとうございました。

[話すためのメモ]

## あなたの国の行事：

|  | 視覚的な資料（写真・実物） |
|---|---|
| Ⅳ．具体的な内容<br><br>　1．行事のための服装<br><br>　2．行事にちなんだ行為<br>　　　例：菖蒲湯に入る<br><br>　3．行事のための食べ物<br>　　　例：柏餅やちまき<br><br>　4．行事のための飾り<br>　　　例：こいのぼりを立てる<br>　　　　　かぶとや武者人形を飾る<br><br>　5．行事にちなんだ歌<br>　　　例：「こいのぼりの歌」「背比べ」<br><br>　6．行事にちなんだ踊り<br><br>　7．行事のための祈り<br><br>　8．その他 |  |

| V. まとめ | |
|---|---|
| | |

［友だちの話メモ］

| |
|---|
| |

# 第3課
# 困った状況を伝えて交渉しよう

---【目標】---

1. 心情を表す表現を使いこなす。
2. 解決策を示して交渉する。
3. 感情的にならずに気持ちを客観的に伝える。

● さあ 始めよう！

だれかのせいで困った状況になったとき、その人に状況を伝えて解決した経験がありますか。
(　　　　　　　　　　　　　　　　　　　　　　　　　　)

困った状況になったとき、その人にどのように伝えましたか。
(　　　　　　　　　　　　　　　　　　　　　　　　　　)

第3課：困った状況を伝えて交渉しよう

## ● 何をどんな順序で

> 自分が迷惑を受けたり、困ったりした状況にあることを相手に伝えるとき、切り出し方に注意して具体的な状況を説明します。そして、改善のための提案を加えることも大切です。

Ⅰ. A：**切り出し**

　　B：**話を受ける**

Ⅱ. A：**困っていることの内容**
　　・事実と状況

　　B：**謝罪と自分の立場の釈明**

Ⅲ. A：**困った状況に対する気持ち**

　　B：**相手の気持ちの理解**

Ⅳ. A：**解決策の提案**

　　B：**了承する**

Ⅴ. A：**気遣いの表明**
　　・聞いてくれたお礼

　　B：**気遣いの表明**
　　・謝罪とお礼

Ⅰ. A：あのね、ちょっと言いにくいんだけど聞いてくれる？

　　B：なあに？

Ⅱ. A：いつも夜電話くれるよね。その時間、実はわたしはもう寝てるか、寝る準備をしてるのね。それで、話したあと、寝られなくなって、翌日眠くてふらふらしちゃうんだ。

　　B：ええっ、そうだったの、ごめんね。1日のことだれかに聞いてほしくて、毎日電話しちゃったんだ。Aちゃん、よく話を聞いてくれるから大丈夫かなと思ってたのよ。ほんとにごめんね。

Ⅲ. A：Bちゃんと話すのは楽しいし電話もらってうれしいんだけど、眠くて翌日に差し支えるのは本当につらくて…

　　B：ああ、そうだね。次の日、眠いとつらいよね。

Ⅳ. A：できれば、電話は夜10時までか、昼の時間帯にしてくれると助かるんだけど。

　　B：そうだね。わかった。そうする。

Ⅴ. A：ああ、よかった。聞いてくれてありがとう。これからもいい友だちでいてね。

　　B：わたしこそ。本当にごめんね。

# Step.1 【困っていることの内容とそれに対する気持ち】

● **どんなことばで** ①

1）次のような場合、あなたはどのような切り出しを使っていますか。話してみましょう。

> 困っていることを相手に伝えて、相手に何かをお願いしたり相談したりする場合、その内容を聞いてもらうためには、切り出し方にも注意が必要です。

① ゼミの発表の日程を変えてもらうように交渉するとき、先生にどう切り出しますか。

② 仕事の内容や部署を変えてもらうように上司に交渉するとき、どう切り出しますか。

③ きのう買った洋服のサイズが合わないので取り替えてもらいたいとき、店の人にどう切り出しますか。

切り出しには次のような表現もあります。

> ・ちょっとお時間をいただいてご相談したいことがあるんですが
> ・まことに申し上げにくいことなんですが
> ・お気を悪くなさらずに聞いていただきたいんですが
> ・あのう、あつかましいお願いだとは思うんですが

2）困っている気持ち

> 困っているとき、感情的に不満をぶつけるよりも、冷静に気持ちを伝えると、聞く人は受け入れやすいです。

例：長い時間考えてやっと論文のテーマを決めたのに、教授が突然退職してしまって（**途方にくれて**）います。

第3課：困った状況を伝えて交渉しよう

① 就職の内定をもらっているのに、必修科目を落としてしまい、単位不足で卒業できそうもなくて（　　　　　　　）います。
② ゼミの発表が明日なんですが、資料の作成中にパソコンが突然壊れてしまって（　　　　　　　）います。
③ 国で大きな地震があったと聞いたんですが、連絡がとれなくて（　　　　　　　）気持ちです。
④ アルバイトが少なくなって収入が減りました。生活が苦しいのに、学費納入の督促まで届いて（　　　　　　　）状態なんです。
⑤ 宿題のレポートが多いうえに講義の内容も難しくて、とてもわたしには（　　　　　　　）んです。

```
a．頭をかかえて    b．手に負えない
c．頭が真っ白になって    d．いてもたってもいられない
e．にっちもさっちもいかない    f．途方にくれて
```

3) 次の太字のことばに注意して、どういう気持ちや状況なのか説明してみましょう。
① バイト先で人間関係がうまくいっていないんです。やめるわけにもいかず、一人で**もんもんとしている**んです。
② 指導教授から資料のアンケート調査を手伝うように言われたんだけど、まず、まだ調査に行ってない会社をリストから抜き出して、それからアポとって全社回らなきゃならないんだって。**考えただけで気が遠くなりそうだよ。**
③ アパートの上の階の人が、夜、友だちを連れてきて飲んだり歌ったりしてうるさいんですよね。大家さんにも言ったんだけど、昨日もまた夜中にうるさくて、いくらおとなしい僕でも**堪忍袋の緒が切れそうです。**
④ ○○会社を目指して就職活動で頑張ってたのに、「今年は業績悪化のため、採用は控える」って通知が届いたんだ。**目の前が真っ暗なんだよ。**

困った状況を伝えて交渉しよう：第3課

● **やってみよう** 1  ペアワーク

最近の自分の困った状況について、「どんなことばで」の表現を使ってよくわかるように伝えてください。聞いている人は、うなずきや相づちでよく聞いていること、興味・関心を持っていることを示してあげましょう。

［話すためのメモ］

```
Ⅰ．切り出し

Ⅱ．困っていることの内容



Ⅲ．困った状況に対する気持ち
```

［友だちの話メモ］

```
Ⅰ．切り出し

Ⅱ．困っていることの内容



Ⅲ．困った状況に対する気持ち
```

第3課：困った状況を伝えて交渉しよう

# Step.2 【解決策と気遣いの表明】

● どんなことばで ②

1）解決策の提示

> 相手に何か頼む場合、感情的な伝え方ではなく解決策を示してお願いの形で表現すると、相手の人も受け入れやすくなります。

例：感情的な伝え方
　　A：おい、この前貸した本と資料、いつになったら返してくれるんだ。本当いいかげんなんだから、頭にくるな。早く返せよ。
　　B：わかってるよ。うるさいな。今持ってきてないから、またね。

　気持ちよく聞いてもらえる伝え方
⇒　A：ねえ、ちょっと悪いんだけど、この前貸した本と資料、僕も調べたいことがあるもんだから、返してもらえるとうれしいんだけど。調べ終わったらまた貸すから。
　　B：ああ、ごめん。気になってたんだけどまだ全部読めてなくて。あした持ってくるね。悪いけど、また貸してもらえる？

① 部下に
　上司：なんだ、資料まだできてないのか？　いったい何やってんだよ。

⇒

② ペットの飼い主に
　奥さん：ちょっと、お宅のネコ、家の庭に入って困るのよ。しつけが悪いんじゃない？本当に嫌になるわ。

⇒

③ 近所の住人に
　学生：お宅のピアノうるさくて、夜、勉強できないんですよね。迷惑なんですよ。

⇒

④ 上司に
　部下：課長、わたしばかり仕事が多すぎてやりきれませんよ。もっと減らしてくださいよ。

⇒

— 38 —

### ほかに使えそうな表現

- できれば〜していただけるとありがたいんですが
- お考えいただきたいのですが
- ご配慮いただけると本当に助かりますが

## 2）気遣いの表現

> 迷惑に感じていることや苦情を伝えてくれた人に対して気遣いを示すことは、人間関係の上でとても大切なことです。お詫びに加えて感謝も伝えましょう。

① A：この前お貸しした大皿なんですが、うちでも使うものですからお返しいただきたいんですが。
　B：あっ、大事なものお借りしたのにうっかりしていました。（　　）

② A：お宅のネコが、うちのベランダの洗濯物を汚して困ってるんですけど。
　B：えっ、すみません。**気がつかなくて、お許しくださいね。**（　　）

③ A：お宅のご主人、いつも釣ってきた魚、おすそ分けしてくれるんだけど、うちではあまり食べないもんだから、たびたびもらっても申し訳なくて…。
　B：えーっ、そうだったの。ごめんなさい。（　　）

④ A：紹介していただいたバイトなんですが、時給も仕事の内容も違うんです。3か月我慢したんですけど変わらないから、辞めたいんですけど。
　B：えっ、そうだったのか。悪かったなあ。（　　）

⑤ A：お宅、夜洗濯していらっしゃいますよね。ずっと前から音が気になって眠れない日が続いているんです。
　B：ええっ、全く気づきませんで、申し訳ありませんでした。（　　）

---

a．ご迷惑おかけしました。なんとかします。
b．よく我慢していたね。話してくれてよかった。わたしからも聞いてみるよ。
c．催促させてしまって申し訳ありません。本当にありがとうございました。
d．親切の押し売りだったね。言ってもらってよかったわ。
e．長い間ご迷惑おかけしてたんですね。気をつけます。

第3課：困った状況を伝えて交渉しよう

## ● やってみよう ② 〔ペアワーク〕

やってみよう①の内容を発展させて、自分が困っていることについて話してみましょう。特に困っていることがない人は、次のような場面や役割を選んでロールプレイをしてみましょう。

場面1：教授に課題レポートの提出を待ってもらうように交渉する。
　　　　A：何か事情があって課題ができず困っている学生
　　　　B：課題を出した厳しい教授
場面2：学校の図書館の利用時間を延長してくれるように交渉する。
　　　　A：図書館で長時間調べ物をしたい学生
　　　　B：学校の図書館長
場面3：試験を受けられなかった必修科目をレポート提出で単位認定してくれるように交渉する。
　　　　A：試験を受けられなかった学生
　　　　B：必修科目の担当教授

### 楽器の音に迷惑している例

> Ⅰ．A：あのうすみません。ちょっと申し上げにくいんですけど、困っていることがあるんですよ。
> 　　B：はい、どのようなことでしょうか。
> Ⅱ．A：実はお宅の息子さんのことなんですが、ときどき夜遅くに音楽や笑い声なんかが聞こえてきて、気になって眠れないんですよ。
> 　　B：まあ、そうでしたか。それは本当にすみません。息子は音楽の専門学校に行っているものですから、わたしたちも迷惑にならないようにって注意しているんですけど…。
> Ⅲ．A：そうですか。わたしも音楽は好きですし、仲間と楽しい時間を過ごすのはとても大切なことだと思うんですよ。お邪魔はしたくないんですが、わたしも仕事があるものですから、眠れないと仕事にも差し支えてしまうんですよね。

B：そうですよね。眠れないと本当につらいのに、ご迷惑おかけして申し訳ありません。
Ⅳ．A：あのう、できれば、もう少し音を小さくしていただくとか、防音装置をつけていただくとか、夜の10時以降はやめるようにしていただけるとありがたいのですが…。
　　B：はあ、窓ガラスの防音は一応やっているんですけど、十分じゃなかったんですね。息子にも気をつけさせますので、少しようすをみていただけますか。
Ⅴ．A：ええ、そうしていただけると助かります。**嫌なことを言いまして、お気を悪くなさらないでくださいね。**よろしくお願いいたします。
　　B：いいえ、こちらこそご迷惑おかけして本当に申し訳ございませんでした。また、何かありましたら遠慮なくおっしゃってください。

[話すためのメモ]

```
Ⅳ．解決策の提案


Ⅴ．気遣いの表明
```

第3課：困った状況を伝えて交渉しよう

● 話す技法・聴く技法 ●

😊 困った状況はわかりやすかったですか。

（　はい　・　いいえ　）

😊 「はい」の人はどうしてですか。
・困った状況が具体的だった。
・心情を表す表現が豊富だった。
・感情的ではなかったので聞きやすく、冷静に受け止められた。
・同じような経験があった。
・解決策が提案されていた。
・その他：

😐 困った状況についてわかってもらえたと思いますか。

（　はい　・　いいえ　）

😐 「いいえ」の人はどうしてわかってもらえなかったと思いますか。
・状況が具体的ではなかった。
・心情の表現が少なかった。
・感情的になってしまった。
・その他：

> 困ったことを相手に伝える場合、感情的に訴えるだけでなく、事実を客観的に伝える必要があります。自分としてはどうなったらよいか、どうしてほしいのか伝え、そのために相手にしてもらいたいことを具体的に提案するといいでしょう。

# 第4課
# 不満に対処しよう

---【目標】---

1. 不満に対して異なる視点を提示する。

2. インフォーマルな表現で不満を述べる。

3. 相手に同調して話を聞く。

● **さあ始めよう！**

不満を友だちに聞いてもらったことがありますか。　　　　（はい・いいえ）
不満が高じて退部／退学／退職など何かをやめる決定をしたことがあります
か。　　　　　　　　　　　　　　　　　　　　　　　　（はい・いいえ）
退部／退学／退職などの相談に乗ったことがありますか。　（はい・いいえ）
そのとき、どのように言いましたか。
（　　　　　　　　　　　　　　　　　　　　　　　　　　　　　　　　）

第4課：不満に対処しよう

● 何をどんな順序で

Step.1【不満】では不満を述べる練習、Step.2【相談への助言】では友だちがよりよい決定ができるように考えながら相談に乗る練習をしましょう。

## Step.1【不満】

> 親しい友だちに不満を話すと、自分の考えもまとまり、すっきりすることがあります。そのようなとき、話を聞く人は、なるべく批判せず相手の気持ちに同調しながら聞くことができるといいですね。

Ⅰ. A：切り出し

　　　　　　　　　　　　　　　B：受け

Ⅱ. A：不満の表明

　　　　　　　　　　　　　　　B：受け

Ⅲ. A：エピソード

　　　　　　　　　　　　　　　B：受け

Ⅰ. A：ちょっと、聞いてくれる？　　　B：何？　どうしたの？

Ⅱ. A：バイトの店長なんだけど、ひどいんだよ。　B：そうなの？

Ⅲ. A：この間も、自分がした失敗を人のせいにしているんだ。本部から来た監督の人に「バイトの子がしたことなので」とかうそついてるの聞いちゃった。　B：えっ、ひどーい。

# Step.2 【相談への助言】

> 友だちに相談を持ちかけられた人はその人の置かれた状況をいろいろな視点から考え、いい決定ができるように手助けしましょう。

Ⅰ. A：切り出し・相談　　　　　　　　　B：**状況確認**

Ⅱ. A：理由　　　　　　　　　　　　　　B：**状況確認**

Ⅲ. A：応え　　　　　　　　　　　　　　B：**受け・別の視点**

Ⅳ. A：反論・理由　　　　　　　　　　　B：**別の視点・理由**

Ⅰ. A：先輩、話、聞いてもらえないでしょうか。実は今年度で大学やめようかと悩んでいるんです。

B：えっ、どうしてやめようと思うの？

Ⅱ. A：授業受けていてもおもしろくないんです。クラスの友だちとも合わないし。高校の時からギターやっていて、やっぱりそっちに進んだ方がいいんじゃないかなって思ったんです。

B：音楽はどのくらいやっているの？

Ⅲ. A：高校1年からなんですが、学園祭でみんなの前でやって拍手喝采を浴びたことが忘れられないんです。

B：夢、広がりそうで楽しそうだよね。でも、せっかく大学に入ったんだし、今ここでやめちゃうのはもったいないんじゃないかなあ。

Ⅳ. A：そのことはずいぶん考えたんです。でも、このまま大学にいても勉強に身が入らないし、かえって時間がもったいないと思うんです。

B：そういう考え方もあるよね。ご両親は何ておっしゃってるの？　音楽の道って言っても、仕事にするのは難しいんじゃないかなあ。趣味として続けるっていうのではだめなの？

第4課：不満に対処しよう

# Step.1 【不満】

● どんなことばで 1

1) ①～④の不満を表すことばに線を引きましょう。⑤～⑦のことばを使って不満を述べてみましょう。

> 不満ばかり言うのは嫌われますが、本心を話すことで親しみが増すことがあります。

① 何度やってもやり直しさせられて、嫌気がさしたよ。

② 社長の親戚というのを笠に着て、えらそうにしているのが本当にしゃくにさわるよ。

③ この間、友だちが帰ってくるのを外で待っていたら、警官に職務質問されちゃってさー。何度もしつこく聞かれて、はらわたが煮えくり返りそうだったよ。

④ あの人のほうが給料がいいなんて、どう考えても納得がいかない。

⑤ 不愉快だ

⑥ 世も末だ

⑦ ふざけている

2) いろいろな事に対して感じている不満を親しい友だちに聞いてもらいましょう。

① バイト先に対する不満（時給・仕事内容・店長・同僚などに関する不満）
   例：もう1年も働いているのに、全然時給上げてもらえないんだ。やってられないよ。

② 職場に対する不満（給料・評価・上司・昇進などに関する不満）

③ ガールフレンド／ボーイフレンド／先輩／後輩などに対する不満
   （服装・動作・化粧・態度・性格などに関する不満）

不満に対処しよう：第４課

3）相手が不満を述べているとき、相手が話しやすいように相づちを打ちながら聞きましょう。次の相づちを参考にしてテンポよく話してみましょう。

**相づちのことば**

> 話を聞き出す：どうしたの／何があったの／えっ、なになに
> 話を促す：それで／どうして
> 理解したことを示す：そうなんだ／ふーん
> 相手の気持ちを代弁する：うわーひどーい／さいあく／さいてー
> 同感であることを示す：ほんとだよね／そうだよね
> 相手の文末を繰り返し同感であることを示す：ある、ある、ある／いる、いる

　　　　　　　　　　　　　　Ａ　　　　　　　　　　　　　　　　Ｂ

例：ちょっと聞いてよ。今日、チョーむかついちゃった。　　　（なになに）
　　１限休講だったんだよ。あの先生怖いから、課題徹夜で
　　仕上げて持ってきたのに…。　　　　　　　　　　　　　　（ひどーい）
　　それも理由がさ、学会出席なんだって。だったらもっと
　　早く知らせろって言いたいよ。　　　　　　　　　　　　　（本当だよね）

① ねえ、今のバイトやめようかと思っているんだ。　　　　　（　　　）
　　自宅から遠いし、時給もそんなによくないし。
　　うちに着くと、夜中の１時だよ。　　　　　　　　　　　（　　　）
　　それからシャワー浴びたりしていると、２時ごろに
　　なっちゃうんだ。　　　　　　　　　　　　　　　　　　（　　　）
　　学校行っても睡魔がおそってくるし。もう無理かも。　　（　　　）

② あのさー、ウチの上司ったらひどいんだよ。　　　　　　（　　　）
　　前の日にみんなで決めたこと、平気でひっくり返すんだよ。（　　　）
　　それも３時間もかけて話し合ったことなのに、
　　「やはりよく考えてみましたら、実施しないほうが効率的
　　だと思います」とか言っちゃって。　　　　　　　　　　（　　　）
　　それなら会議なんて開くなって言いたいよ。　　　　　　（　　　）

— 47 —

第4課：不満に対処しよう

## ● やってみよう 1  [ペアワーク]

友だちに不満を述べましょう。聞いている人は、相づちを打ちながら聞きましょう。

### 親しい人に不満を語る例

> Ⅰ．A：ちょっと聞いてくれない？
>   B：なに、なに？
> Ⅱ．A：もうホント、**嫌気がさし**ちゃった。
>   B：どうしたの？
>   A：ウチの上司ったら、わたしが提案したことを全部自分の考えみたいにしちゃって、なんでも一人で考えましたって顔するんだもん。ひどいよね。
>   B：ひどいねー。
> Ⅲ．A：この間だってさー、「働く女性のニーズに応えた知的メークの携帯化粧品セット」っていう商品企画出したんだけど、あとで見たら、ウチの部署からの提案じゃなくって、部長一人の名前になってるじゃない。
>   B：うわ、さいあくー。
>   A：別にわたしだけの提案にしてくれなくてもいいけど、少なくても名前は入れてよねって言いたいよ。
>   B：本当だよね。

［話すためのメモ］

> Ⅰ．切り出し
>
> Ⅱ．不満の表明
>
>
>
> Ⅲ．エピソード

## ● 話す技法・聴く技法 ●

💬 **不満を話してどんな気持ちになりましたか。**
- 聞いてもらってすっきりした。
- 友だちと親しくなったような気持ちになった。
- 嫌なことを思い出して嫌な気持ちになった。
- その他：

💬 **相づちを打ってもらって話しやすかったですか。**
- 話しやすかった。
- 話しにくかった。

💬 **どのように聞いてもらえると話しやすいのでしょうか。**
(　　　　　　　　　　　　　　　　　　　　　　　　　)

😊 **相づちを打ってみて、どんな感じがしましたか。**
- 相手の話をいつもよりしっかりと聞いている感じがした。
- ちゃんと聞いていることを相手に伝えられてよかった。
- いつ打ったらいいかよくわからなかった。
- その他：

そうなんだ…

---

　不満が一時的なものである場合、ただ聞いてあげることだけで相手の助けになります。相手がどんな気持ちで話しているのかまで考えながら聞きましょう。
　では、不満が高じて退学・退職・離婚などを考えている友だちの相談にはどのように対処するといいでしょうか。なぜそのように決めたのか聞き出し、相手の気持ちをしっかりと理解してから、相手が気がついていない別の視点を提示できるといいのではないでしょうか。Step. 2では不満を聞いて相談に乗り、助言をする練習をしましょう。

第4課：不満に対処しよう

# Step.2 【相談への助言】

● どんなことばで ②

1) いろいろな視点を提示する練習をしましょう。

> 相談に乗るときには、相手の性格に合わせて別の視点を提示すると効果的です。別の視点には、今までのこと、これからのこと、家族や周囲の人の考え、社会通念などがあります。相手の気持ちを尊重しつつ、別の視点にも目を向けてもらえるように話せるといいですね。

例：半年前に保証人に紹介してもらった勤め先は給料がよくないので、給料のいい会社に転職したいと友だちが言っている。

友だちの視点：給料をたくさんもらいたい。
視点1：簡単に転職すると、何でも中途半端にしかできない人と思われ、社会的な信用がなくなる。
視点2：保証人の顔をつぶすことになる。

① 授業は面白くないし、友だちもあまりできないので、大学3年で中退して帰国すると友だちが言っている。

友だちの視点：大学に通うのが楽しくない。帰国して1年でも早く就職活動をしようと思う。

視点1：

視点2：

② 友だちは上司が気に入らないので退職すると言っている。
友だちの視点：無能な上司の下で仕事をするのはもう我慢できない。

視点1：

視点2：

③ 留学生の友だちは両親に、卒業したら帰国して就職するように言われている。しかし、友だちは英語圏の国に新たに留学すると言っている。

**友だちの視点**：自分の将来は自分で決める。両親に干渉されたくない。

視点１：

視点２：

2）別の視点を示すときによく使われることわざ

> ことわざは昔からの知恵や経験を短いことばで示しているので説得力が増します。

① 住めば都　・　　　　　　　　・a 子どもは甘やかして育てるより、手元から離してさまざまな経験をさせたほうがいい。

② かわいい子には旅をさせよ　・　　　・b 子どもは夫婦をしっかりとつなぎとめるものである。

③ 雨降って地固まる　・　　　　・c ある文化圏に行ったら、その地域のやり方にそって行動したほうがいい。

④ 郷に入っては郷に従え　・　　　・d どんなところでも住み慣れればそれなりに住みやすく感じられるものだ。

⑤ 子はかすがい　・　　　　　　・e 何か問題が生じたことでかえってしっかりとした絆ができるということ。

⑥ 二兎を追うものは一兎をも得ず　・　・f 二つのものを追い求めると、どちらも中途半端になってしまい、両方手に入れられない結果になるものだ。

第4課：不満に対処しよう

3）次のa～fから適当な表現を選んで（　　　）に入れ、＿＿＿には自分で何か付け加えて説得しましょう。

例：外国人嫌いの上司がいて、よく嫌がらせされるんだ。入社してまだ1年たたないんだけど、もう辞めちゃおうかって時々思うよ。
⇒ 嫌がらせに負けちゃうなんて相手の思うつぼだよ。（　石の上にも三年　）って言うじゃない。　もう少し頑張ってみたらどうかなあ。

① 最近ずっと胃の調子がよくないんだ。でも、バイトも忙しいし、医療費も薬代も高いから、病院に行っていないんだ。
⇒ 体壊しちゃったら（　　　　　　　　　）じゃない。
＿＿＿＿＿＿＿＿＿＿＿＿＿＿＿＿＿＿＿＿＿＿＿＿＿＿＿＿＿＿＿＿＿＿＿＿

② 大学やめて、小説家になる勉強をしようと思っているんだ。
⇒ えーっ、（　　　　　　　　　）って言うじゃない。
＿＿＿＿＿＿＿＿＿＿＿＿＿＿＿＿＿＿＿＿＿＿＿＿＿＿＿＿＿＿＿＿＿＿＿＿

③ あと1年で卒業なんだけど、卒論は進まないし、バイトも毎日忙しいし、留年しようかと思っているんです。
⇒ バイト、忙しいんですね。でも、何のためにバイトをしているか思い出して。バイトのために留年するなんて（　　　　　　　　　）じゃありませんか。
＿＿＿＿＿＿＿＿＿＿＿＿＿＿＿＿＿＿＿＿＿＿＿＿＿＿＿＿＿＿＿＿＿＿＿＿

④ 来年結婚することになりました。結婚と仕事を両立させられそうにないから、退職しようと思っています。
⇒ せっかく頑張って働いてきたのに、今辞めちゃったら、（　　　　　　　　　）ですよ。
＿＿＿＿＿＿＿＿＿＿＿＿＿＿＿＿＿＿＿＿＿＿＿＿＿＿＿＿＿＿＿＿＿＿＿＿

⑤ 友だちの会社と比べると、うちの会社は給料は少ないし、残業は多いし、やる気がなくなってきちゃいました。
⇒ ああ、そうなんですか。でも、(　　　　　　　　)って言うでしょ。

---

　　a．今までの努力が水の泡　　b．急がば回れ　　c．隣の芝生は青い
　　d．元も子もない　　e．石の上にも三年　　f．本末転倒

第4課：不満に対処しよう

## ● やってみよう 2  [ペアワーク]

迷っていることについて、友だちに話しましょう。聞いた人は相談に乗りましょう。特に迷っていることがなければ次から選んでロールプレイをしましょう。

場面1：嫌な上司がいるので会社を辞めて帰国すると言っている友だちの相談に乗る。

場面2：勉強を続ける気持ちがなくなったから大学をやめると言っている友だちの相談に乗る。

[話すためのメモ]

[友だちの話メモ]

# 第5課
# 目上の人に注意を促そう

---【目標】---

1. 適切な待遇表現を使って相手の状況を把握し情報を提供する。
2. 失礼にならないように注意を促す。
3. 相手の立場を尊重して配慮のことばを付け加える。

● さあ始めよう！

お世話になった方や、友人の両親などを観光地へご案内したことがありますか。
（はい・いいえ）

そのとき、上手に敬語を使うことができましたか。　　　（はい・いいえ）

相手の方に注意を促さなければならなかったことがありますか。
（はい・いいえ）

それはどんなことですか。（　　　　　　　　　　　　　　　　　）

そのときどのように注意を促しましたか。（　　　　　　　　　　　　）

第5課：目上の人に注意を促そう

● 何をどんな順序で

Step.1【状況把握と情報提供】では相手の状況を把握し、情報を提供する練習を、
Step.2【失礼にならないような注意】では目上の方に注意を促す練習をしましょう。

Step.1【状況把握と情報提供】

> お客さまをご案内するときには、まず相手の状況を把握し、希望を理解することが大切です。限られた時間の中で、気持ちよく過ごしていただくためにできることを考えましょう。

Ⅰ. A：配慮あるあいさつ

B：受け

Ⅱ. A：状況を把握する

B：応答

Ⅲ. A：情報を提供する／指示する

B：受け

＜日本でお世話になった先生を母国で出迎える＞

Ⅰ. A：先生、長旅お疲れさまでした。　　　　B：いや、いや、快適でしたよ。

Ⅱ. A：どちらにお泊まりですか。　　　　　　B：王宮前のロイヤルパレスホテルに宿泊するんですよ。

A：何日ぐらいご滞在でしょうか。　　　　B：今回は日曜日の午後までいられます。少し時間があるんです。

Ⅲ. A：そうですか。明後日の晩、湖畔で花火大会があります。お出かけになりませんか？　　B：ああ、いいですね。花火大好きですよ。ぜひご一緒したいですね。

## Step.2【失礼にならないような注意】

> 目上の方に注意を促すには、敬語を使うだけでは十分ではありません。申し訳ないという気持ちの表明、配慮を示すことばも忘れないようにしましょう。

Ⅰ. A：呼びかけ　　　　　　　　　　　　B：受け

Ⅱ. A：申し訳ない気持ちの表明

Ⅲ. A：注意を促す　　　　　　　　　　　B：応答

Ⅳ. A：理由の説明　　　　　　　　　　　B：受け

Ⅴ. A：配慮を示すことば


Ⅰ. A：○○先生、　　　　　　　　B：あ、何でしょうか。

Ⅱ. A：申し訳ありません。

Ⅲ. A：ここでは歩きながらのおタバコは法律で禁じられています。　　B：え、そうなんですか。なかなか厳しいんですね。

Ⅳ. A：ええ、申し訳ありません。観光に力を入れている国ですので、街の隅々までお客様に恥ずかしくないような街づくりを目指しているのです。　　B：ああ、そうなんですか。

Ⅴ. A：どうぞご理解ください。

第5課：目上の人に注意を促そう

# Step.1 【状況把握と情報提供】

## ● どんなことばで 1

1) 次の場面でどのような情報が付け加えられるでしょうか。a～hのことばを使って、言いましょう。

> あいさつをするだけでなく、相手への配慮を示す一言を付け加えましょう。

例：あと少しで目的地に着くとき
⇒ お疲れ様でした。あと10分ほどで到着します。少し風が強いのでコートをお持ちになったほうがよろしいかと思います。

① 朝、ホテルへ出迎えに行ったとき
⇒

② 車・バスを離れるとき
⇒

③ 食事の場所をあとにするとき
⇒

④ 案内が終わったとき
⇒

```
a．お口に合う    b．至らない点がある    c．不慣れ
d．お休みになる  e．貴重品    f．お忘れ物    g．お疲れ様
h．あと○分
```

2) 文法的に間違っているものや、あまり適切でない表現を適切な言い方に直しましょう。

> 敬語を正しく使い、直接的な表現を避けることが大切です。

① 先生、明日はどこにおりますか。
② 先輩、何をしにいらっしゃいましたか。

③ 赤い建物の前にご駐車されてください。
④ 明日は博物館に連れてまいりたいと思っています。
⑤ ロビーでお待ちいただいてください。


3）適切なことばを使って相手の状況をたずねましょう。

> よりよいおもてなしをするためには相手の状況をよく知っておくことが必要です。

|  | 滞在期間・場所 | 滞在の目的・予定 | 嗜好など |
|---|---|---|---|
| 使った表現 | 例：いつお発ちになる | 例：どのようなご用件で |  |
| 友だちの答え |  |  |  |

4）より婉曲で相手に対する配慮を示した言い方に直しましょう。
　例：日本の水とは違うので、生水は飲めません。
　⇒　日本の水とは違いますので、沸かしてからお飲みください。

① ナイトクルーズを予約しました。多少冷えるかもしれませんので、何か羽織るものを持って行ったほうがいいです。

⇒

② クレジットカードでのお支払いはだめです。

⇒

③ 明日、ここで特に見たいところやしたいことがありますか。もし特にないようだったら、市場に連れて行きます。

⇒

④ タクシーに乗るときには、まず目的地を言って、値段の交渉をしなければなりません。フロントで聞けば、値段の目安を教えてくれます。

⇒

第5課：目上の人に注意を促そう

## ● やってみよう １

１）次のような場面でロールプレイをしましょう。Ⅰ．配慮あるあいさつ～Ⅲ．情報を提供するまでを話してみましょう。相手の人は初めの提案は理由を言って変えてもらいましょう。

場面１：仕事であなたの住んでいる町を訪問している恩師と電話で話す。相手の希望に応じて案内先の提案をする。

場面２：日本で働いていた会社の元上司があなたのふるさとを訪ねてきた。出迎え、相手の希望に応じて案内先の提案をする。

**東京に遊びにいらっしゃった先生に、案内の約束をする電話での会話の例**

Ⅰ．A：先生、お久し振りです。ご連絡いただいてうれしかったです。
　　B：いや、いや、こちらこそ。お世話になります。
Ⅱ．A：今回はどのくらいこちらにいらっしゃるのでしょうか。
　　B：あさっての夜、発つことになっているんです。
　　A：ああ、そうですか。ええと、今日の夕方でしたら、少し時間がとれそうです。ご都合いかがでしょうか。
　　B：あ、ちょうどいいです。夕方５時以降はあいていますよ。
　　A：先生、どちらかいらっしゃりたい場所はありませんか。
　　B：いやあ、別にどこっていうのは思いつきません。**お任せしますよ。**
Ⅲ．A：じゃあ、酉の市にご案内したいと思うのですが、いかがでしょうか。
　　B：はあ、どんなものなんですか。
　　A：酉の市は、１１月の酉の日に行われて、商売の繁盛などを神様にお願いするためのお祭りなんです。屋台がたくさん出ていてにぎやかですよ。
　　B：そうですか。おもしろそうですね。でも、今日ちょっと風邪ぎみで人ごみは避けたいんですよ。明日長時間話さなくちゃならないし…。すみませんね。
　　A：あ、そうですか。それじゃあ、ご夕食にご案内いたします。
　　B：あ、それはうれしいですね。
Ⅱ．A：お魚はいかがでしょうか。

B：肉より魚の方が好きです。

Ⅲ．A：それなら、どじょうなべなんていかがでしょうか。この辺の名物なんです。栄養があって、風邪なんてすぐ治っちゃいますよ。

B：どじょうですか。食べたことがないので試してみたかったんです。

A：じゃ、5時ごろホテルへお迎えに参ります。

あなたが案内できそうな場所：(　　　　　・　　　　　・　　　　　)

［話すためのメモ］

Ⅰ．配慮あるあいさつ

Ⅱ．状況を把握する

Ⅲ．情報を提供する

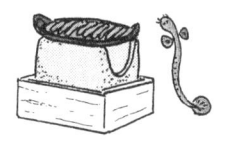

第5課：目上の人に注意を促そう

● 話す技法・聴く技法 ●

😊 相手の提案で気に入ったものはありましたか。
　　（　はい　・　いいえ　）

😊 「はい」の人はどうしてそう思ったのでしょうか。
　　（　　　　　　　　　　　　　　　　　　　　　　　　　　　　）

😊 自分の希望に応じていろいろ提案してもらってどう感じましたか。
　・当然だ。
　・ありがたい。
　・申し訳ない。
　・その他：

😐 相手が興味を持つようなところを提案できましたか。
　　（　はい　・　いいえ　）

😐 「いいえ」の人はどうしたらよかったと思いますか。
　　（　　　　　　　　　　　　　　　　　　　　　　　　　　　　）

😐 相手の希望をいろいろ聞きながら提案をしてどう感じましたか。
　・当然だ。
　・相手の希望を尊重できてよかった。
　・自分が一番勧めたいところへ案内できなくて残念だった。
　・その他：

　　おもてなしをするには、相手の気持ちに配慮することが大切です。自分がいいだろうと思うことを押しつけるのではなく、相手の希望を聞き出しながら、いろいろな提案ができるといいですね。
　　Step.2で注意を促す際にも、相手の気持ちに配慮することが大切です。何人かのグループの場合は、全員に対してさりげなく言ったり、ほかの人のいないところで言ったりするといいでしょう。相手によって、単刀直入に話す、多少ユーモアを持たせながらさりげなく注意するなど柔軟に対応できるといいですね。くれぐれも相手のプライドを傷つけないように配慮しましょう。

目上の人に注意を促そう：第5課

## Step.2 【失礼にならないような注意】

● **どんなことばで** 2

1) ①～③は申し訳ないという気持ちを表している部分に下線を引きましょう。④と⑤は（　）にa～fから適当なことばを選んで入れましょう。答えは一つとは限りません。

> 注意を促したり、迷惑なことをお願いしたりするのは難しいことです。特に目上の方に対してそのようなことを言わなければならない場合、相手に対して申し訳ないという気持ちを表したほうが効果的です。

① ○○様、恐れ入りますが、こちらは禁煙となっています。おタバコは3号車でお願いします。

② 先生、あいにく禁煙席は満席となっています。

③ 先輩、お手数をおかけしますが、講演会が終わりましたら、わたしにご連絡いただけますでしょうか。

④ 先生方、わたしは準備もありますので、次の会場でお待ちしております。
　　（　　　　　）見学が終わりましたら、そちらまでいらしてくださいませんか。

⑤ （　　　　　）お名前、お聞かせ願えませんでしょうか。

> a．お差し支えなければ　　　b．ご足労おかけしますが
> c．ご迷惑とは存じますが　　d．大変勝手ではございますが
> e．失礼ですが　　　　　　　f．ご面倒をおかけしますが

2) （　）に入る適当なことばを次のa～gから選びましょう。次にあなたの国のしきたりの背景・理由についても話しましょう。

> 地域によってさまざまなしきたりがあります。文化的、宗教的なタブー、または法律で禁じられていることなどです。訪問者が注意しなければいけないことがありますか。注意をするとき、その背景・理由についても話すと、理解してもらいやすいです。

第5課：目上の人に注意を促そう

例：未婚の女性が男性に髪を見せるのはタブーです。
それは、女性の髪は美しく、男性を（誘惑）するものの一つと思われているからなのです。人間は本来弱いものなので、堕落する恐れのあるものは排除するという考えなのだと思います。

① 食べるときには左手は使いません。左手は（　　　）なものと考えられているからです。
② 子どもの頭をなでてはいけません。頭の上は（　　　）なものとされているからです。
③ 相手を（　　　）する意味を持つので、足の裏をほかの人に向けてはいけません。
④ 親指と人差し指で円を作る動作はお控えください。とても（　　　）な意味を持つからです。
⑤ タバコを吸うとき、一緒にいる人にも勧めたほうがいいです。勧めないと、相手に対して（　　　）ではない行動と考えられます。
⑥ （　　　）な行動と思われますので、目上の人の前では足を組まないほうがいいです。

> a．不浄　b．卑猥　c．侮辱　d．不謹慎　e．神聖　f．友好的
> g．誘惑

⑦ あなたの国のタブー・しきたりの理由


3）次のような配慮を示すことばがあります。ほかにどんな表現がありますか。

> 注意を促したときには、相手に配慮することばを一言付け加えましょう。その後、気まずい雰囲気になるのを避けることができます。

・ご配慮いただき、ありがとうございます。
・差し出がましいことを申し上げました。
・お耳障りなことを申し上げました。
・＿＿＿＿＿＿＿＿＿＿＿＿＿＿＿＿＿＿＿＿＿

## ● やってみよう②  ペアワーク

1）次のような場面でロールプレイをしてみましょう。呼びかけや配慮を示すことばも使いましょう。

　場面１：先輩と一緒に交渉相手を接待しているときに、交渉相手より先に食べ始めようとしている先輩に注意をする。
　場面２：赤いペンで日本人の友人にメモを残そうとしている先輩に注意をする。

2）あなたの国のタブー・しきたりに反した行動をとろうとしている先輩に注意をしましょう。

**お葬式には黒い服を着ていくというしきたりの例**

> Ⅰ．A：先輩。
> 　　B：えっ、何？
> Ⅱ．A：もっと早くお話しすればよかったんですが、
> Ⅲ．A：このお召し物で参列なさるのはちょっと…。こちらではお葬式には黒い服を着ることになっているんです。
> 　　B：えっ、そうなの。ずいぶん**堅苦しい**んだねえ。
> Ⅳ．A：黒は悲しみの色と考えられているからなんです。旅先でお持ちでないようでしたら、わたしのをお貸ししますけれど、いかがでしょうか。
> 　　B：うーん、黒っぽいスーツ持ってきたから、それに着替えるよ。
> Ⅴ．A：あの、差し出がましいことを申し上げてすみません。
> 　　B：いやいや、教えてくれてどうもありがとう。

第5課：目上の人に注意を促そう

[話すためのメモ]

Ⅰ．呼(よ)びかけ

Ⅱ．申(もう)し訳(わけ)ない気持ちの表明(ひょうめい)

Ⅲ．注意を促(うなが)す

Ⅳ．理由(りゆう)の説明

Ⅴ．配慮(はいりょ)を示すことば

# 第6課
# グラフや表を説明しよう

―――――――― 【目標】 ――――――――

1. 具体的な数値を示して社会の動きを説明する。
2. 目的に応じてグラフや表をわかりやすく説明する。
3. データの分析が適切か考えながら聞く。

● さあ 始めよう！

あなたの国で、最近よく売れている商品がありますか。
(                                                            )


日本で最近人気がある商品を何か知っていますか。
(                                                            )

第6課：グラフや表を説明しよう

## ● 何をどんな順序で

> 最近実際によく売れている商品を例にして、経済状況や社会傾向を分析し、社会の動きについて話すことがあります。下のように話を展開することで、分析に説得力を持たせることができます。

Ⅰ. | ある物の販売状況 |　　　　　　　　　　　　　　　　（　）

Ⅱ. | 具体的な数値と分析 |　・数値1とその分析　　　　　　（　、　）
　　　　　　　　　　　　　・数値2とその分析

Ⅲ. | そこから見える社会の動き |　　　　　　　　　　　　（　）

次のa～dは、上のⅠ～Ⅲのどの部分に当たるでしょうか。

a．大人向けの商品Aは昨年生産高が30万個でしたが、今年度は倍増しました。ここ数年のゲームソフトの売り上げ動向から、大人向けゲーム機ソフトに対する消費者の注目度の高さがうかがえます。

b．最近、日本のゲーム機市場では、大人向けのゲーム機が売り上げを伸ばしています。

c．一方、子ども向けゲームソフトBの販売個数は70万個にとどまり、価格の上昇もあり、数年横ばいで、伸び悩んでいます。それに伴い、ゲーム機メーカーも、子どもから大人へとターゲットを移行しつつ、より豊富な商品構成で市場の成長をもくろんでいるものと思われます。

d．このように、いまやゲーム機は子どもたちのものではなく、大人の娯楽の一つとしての地位も確実にしており、家庭娯楽の一つとして浸透しています。

グラフや表を説明しよう：第6課

## Step.1 【ある物の販売状況と分析】

● どんなことばで ①

> 具体的な数値について話すとき、同じ数値でも、それが大きいと捉えているのか、小さいと捉えているのかが表現によって変わります。

1）次の表現は大きい・多い（＋）、小さい・少ない（－）のどちらを表そうとしているでしょうか。友だちと話し合いましょう。また、何か具体的な例を知っていたら、この表現を使って話してみましょう。

① Aの目的達成率は7割止まりで、販売量は9万個にとどまりました。（　　）
② Bの売り上げは、3年連続の増加を記録しています。（　　）
③ 今年度の生産量は、昨年度を大幅に上回る予定です。（　　）
④ 販売個数は10万個に達しました。（　　）
⑤ その商品を扱う企業は、20社に上ります。（　　）
⑥ Y社のシェアは、ここ3年、前年割れが続いています。（　　）
⑦ 今年度のX社のシェアは、Z社に迫っています。（　　）

2）次の表現は、具体的な数値から経済や社会の動向を分析していますが、どのような状態を示しているか対応するグラフを選びましょう。

① パソコンメーカー3社の激しいシェア争いが続いています。（　　）
② 総売り上げの中で書籍類のシェアはここ3年落ち込んでおり、消費者の活字離れがうかがえます。（　　）
③ X社のシェアは60％に達し、一人勝ちの様相が強まっています。（　　）
④ Aの売れ行きが鈍る反面、Bは好調という傾向が依然として続いています。
（　　）
⑤ Aは前年比2～3％減で、低迷していますが、Bは前年比10％増で、好調な伸びを示しています。（　　）
⑥ 昨年末のAの発売を機に、売上高は増加し、状況が好転しています。
（　　）

第6課：グラフや表を説明しよう

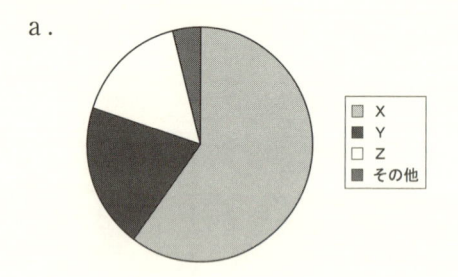

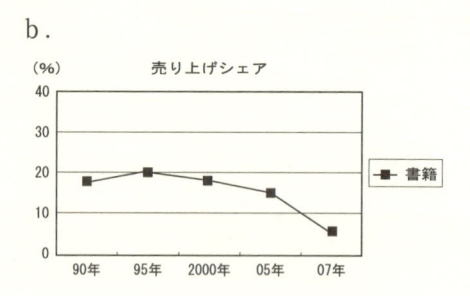

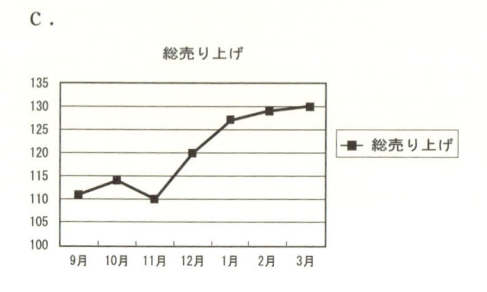

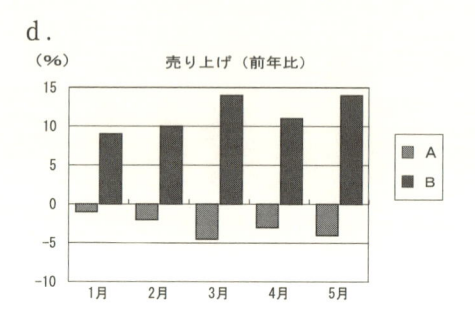

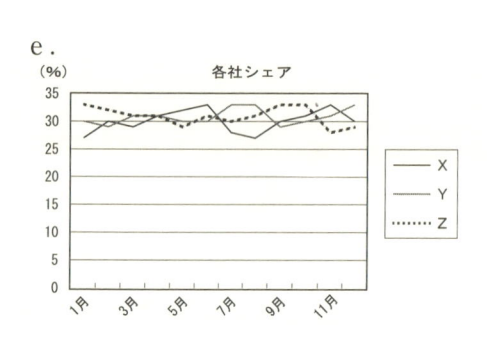

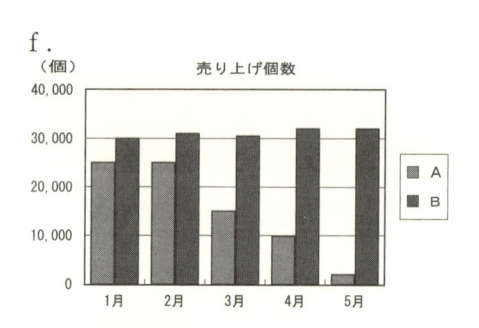

a. 
b. 売り上げシェア
c. 総売り上げ
d. 売り上げ（前年比）
e. 各社シェア
f. 売り上げ個数

3）分析をまとめることば

> グラフや表の数値から分析する場合、状況をわかりやすくまとめることばで短く表すと、数値の持っている意味がよく伝わります。

① この市場では2000年から現在までずっと（　　　　）の成長で、好景気が続いています。

② インフレに加えて、原油高が、物価上昇に（　　　　）いると言えます。

③ 失業率が高いにもかかわらず、高級マンションが好調な売れ行きを示しています。これは、所得格差を示す現象の（　　　　）に過ぎず、二極化

— 70 —

傾向がうかがえます。

④ Aは、2005年まで15年間1位を守ってきた商品でしたが、ついに2006年に首位の（　　　　　）しまいました。

⑤ Aの売り上げは、ここ数年低迷を続けていましたが、新製品導入によって、市場での劣勢を（　　　　　）、上向きになってきました。

⑥ 燃料電池は新時代の技術として開発されましたが、実用化が遅れていて、販売計画はあまり（　　　　　）いないことがわかります。

```
a．右肩上がり    b．氷山の一角    c．拍車をかけて
d．挽回して     e．座を明け渡して   f．軌道に乗って
```

● やってみよう １

1）実際のデータからⅠ．ある物の販売状況、Ⅱ．具体的な数値とその分析について友だちに話しましょう。

[話すためのメモ]

|  | あなた | 友だち |
|---|---|---|
| 選んだ商品 |  |  |
| Ⅰ．ある物の販売状況 |  |  |
| Ⅱ．具体的な数値とその分析　　1. |  |  |
| 　　　　　　　　　　　　　　2. |  |  |

第6課：グラフや表を説明しよう

## Step.2 【ある物の販売状況から見える社会の動き】

● **どんなことばで** 2

1) 次の状況から、a〜dのどの社会の動きが説明できるでしょうか。

① まだ、あまり車種が多くないにもかかわらず、将来ハイブリッドカーを買いたいと答えた人が、全体の約6割にのぼりました。　　　　　　　　　　（　　）

② 普通自動車の新車販売台数は前年比1.2％減で、8か月連続のマイナスでしたが、軽自動車の販売台数は5.6％増で、過去最高を記録しているそうです。
　　　　　　　　　　　　　　　　　　　　　　　　　　　　　　　　（　　）

③ 普通自動車全体の売れ行きが鈍っているのに対して、高級外車の販売実績は、前年比10％増以上を記録しており、好調を記録しています。　　　　　（　　）

④ 箱型の車体を持ち、大勢で乗れたり、多くの荷物を載せられたりするという利点を持つRV車（レクリエーショナル・ビークル）の販売台数は、2000年から2003年にかけて国内自動車販売の50％を超えるほどのブームになりました。
　　　　　　　　　　　　　　　　　　　　　　　　　　　　　　　　（　　）

---

a. 自動車全体の売れ行きが鈍っているのに、燃費のいい軽自動車だけが好調傾向が続いているのは、ガソリン高が人々の生活に影響を及ぼしていることを示していると思います。

b. 車の利用目的が、少人数でドライブなどで走ることを楽しむことから、休日に家族や友人などと一緒に趣味やレジャーを楽しもうとすることへと変化していることを反映していると考えられ、生活スタイルの変化が車選びにも影響を与えています。

c. 実際に身近なことで環境対策を取ろうとしている人が多数であることがわかり、地球環境について関心の高さがうかがわれます。

d. ガソリン代などの経費を少しでも減らすために、普通車から軽自動車に買い替えるなど、出費を抑えようとしている所得層がある一方で、高額な車を購入する富裕層も増えてきており、これは、所得格差が広がってきていることの一つの表れだと言えます。

グラフや表を説明しよう：第6課

● やってみよう ②　グループワーク

1）やってみよう①の内容を発展させて、あなたの国でのある物の販売状況について調べて、例のように、Ⅰ．ある物の販売状況〜Ⅲ．そこから見える社会の動きまで説明してみましょう。

**自動車の販売状況から社会変化を述べる例**

> Ⅰ．最近、日本では軽自動車と外国製の高級車がよく売れているそうです。
>
> Ⅱ．普通車の新車販売台数は、前年比1.2％減で、8か月連続のマイナスでしたが、軽自動車の販売台数は、5.6％増で、**過去最高を記録している**そうです。軽自動車業界は、これまでにないほどの活況を呈しています。
> 　自動車全体の売れ行きが鈍っているのに、燃費のいい軽自動車だけが好調傾向が続いているのは、自動車業界がガソリン高の影響を大きく受けていることを示していると思います。
> 　その一方、高級外車の販売実績も、**前年比10％増**以上を記録しており、好調を記録しています。これは全体的な景気の回復というより、一部の富裕層が普通自動車とは差別化された高価な商品を求めていることを示しています。
>
> Ⅲ．ガソリン代などの経費を少しでも減らすために、普通車から軽自動車に買い替えるなど、出費を抑えようとしている所得層がある一方で、高額な車を購入する**富裕層も増えてきています**。これは、これまで8割が中流と言われてきた日本社会で**所得格差が広がってきている**ことの一つの表れだと言えると思います。

［話すためのメモ］

| |
|---|
| Ⅲ．社会の動き |
| |

— 73 —

第6課：グラフや表を説明しよう

2）説明を聞いて、社会の動きについての考えは論理的で適切だと思いましたか。また、あなたの国の状況と同じでしたか。違う考えを持った場合や、異なる状況がある場合は、友だちに伝えてみましょう。

[話すためのメモ]

| 友だちの話 | 違う考え・異なる状況 |
|---|---|
| 友だちの国（　　　　　　　　　　）<br>商品： | |
| 友だちの国（　　　　　　　　　　）<br>商品： | |
| 友だちの国（　　　　　　　　　　）<br>商品： | |

— 74 —

## ● 話す技法・聴く技法 ●

😊 話を聞いて、その説明は論理的だと思いましたか。

（　はい　・　いいえ　）

😊 「いいえ」の人はどうしてそう思いましたか。
・意見を裏づける具体例が紹介されなかったから。
・意見を裏づける数値的な証拠がなかったから。
・証拠は示したが、その解釈に疑問をもったから。
・自分と意見が違ったから。
・その他：

📖 自分の意見を、友だちは受け入れてくれたと思いますか。

（　はい　・　いいえ　）

📖 「いいえ」の人はどうしてそう思いましたか。
・興味を持ったようすが見られなかったから。
・意見の裏づけになる話が少なかったから。
・裏づけとなる証拠をあまり正確に示せなかったから。
・その他：

> どんな表現で伝えるかによって随分違った印象になります。聞いている人がどんな印象を持つかを考えて、伝え方を選ぶことが大切です。また、聞く側は、相手の分析が本当に適切かどうか、どのような目的でそのように分析しているかにも注意して聞くことが重要です。

# 第7課
# ステレオタイプを打ち破ろう

―――――【目標】―――――

1. ほかの人とは異なる視点から意見を述べる。

2. 決めつけない話し方をする。

3. 互いの捉え方の違いを理解する

● さあ 始めよう！

　あるグループに属する人々が皆同じ特性を持っているという、型にはまった考え方はステレオタイプと呼ばれています。ステレオタイプを皮肉に使ったジョークに次のようなものがあります。

　イギリス人のように料理が上手で、イタリア人のように自己抑制をし、
　フランス人のように運転がうまく、ドイツ人のようにユーモアにたけ、
　スペイン人のように働き者で、アメリカ人のように何か国語も話し、
　日本人のように個性にあふれる人が理想的な人である。

選者・鉄「ジョーク・冗句」朝日新聞（1994年5月14日夕刊）より

　しかし、実際には、日本人でも個性的な人は多くいるように、ステレオタイプは偏った固定観念になる恐れがあります。
　あなたの国では、あなたの出身地域の人々について、どのような人だと言われることが多いですか。　（　　　　　　　　　　　　　　　　　　　　　）

第7課：ステレオタイプを打ち破ろう

## ● 何をどんな順序(じゅんじょ)で

> ある物事に対する決まった捉え方を、ステレオタイプと言います。
> ステレオタイプの考え方を変えてもらいたいとき、このような順序で話すと、相手にあなたの考え方を押しつけることなく説明できます。

Ⅰ． ステレオタイプの紹介　　　　　　　　　　　　　　（　）

Ⅱ． それに対する自分の考え　　　　　　　　　　　　　（　）

Ⅲ． ステレオタイプを別の視点から見た意見　　　　　　（　）

Ⅳ． 自分の考えを裏づける具体例　　　　　　　　　　　（　）

Ⅴ． まとめ　　　　　　　　　　　　　　　　　　　　　（　）

次のa～eの文は上のⅠ～Ⅴのどの部分に当たるでしょうか。

a．よく言われることですが、それは、ちょっと違うと思います。
b．この地域の人は無口で暗い感じがすると言われています。
c．このように、一般的によく言われていることは単なる印象で、実際は寒い気候の中でたくましく生きている明るい人々が多いのです。
d．たとえば、この地域は寒さが厳しく、冬も長いので、家の外で大きな声でおしゃべりすることができません。けれども、実際には、重要なことについてはきちんと話をしますし、家の中では、よく近所の人々が集まって、飲んだり食べたり歌ったりして、非常に明るく楽しく過ごしている陽気な人が多いです。
e．というのは、無口だという特徴は、一見暗そうに見えますが、見方を変えると、単に無駄なことを話さないとも言えるからです。

ステレオタイプを打ち破ろう：第7課

# Step.1 【ステレオタイプの紹介と別の視点からの意見】

● **どんなことばで** １

1) 次のことばは、どんな人のことを表しているでしょうか。友だちと話し合いながら、対照的な意味を持つことばをさがし、線で結んでください。よくないイメージで使われることが多いことばはどれか考えましょう。そして、グループごとにその結果を発表しましょう。

> 人がどんな思考、感性を持っているかなどの特徴を表すことばは、そのことばに対する評価がだいたい決まっています。

① 開放的　　　　　・　　　　・　a　封建的
② 進歩的　　　　　・　　　　・　b　閉鎖的
③ 集団主義的　　　・　　　　・　c　悲観的
④ 現実的　　　　　・　　　　・　d　個人主義的
⑤ 自由奔放　　　　・　　　　・　e　論理的
⑥ 感覚的　　　　　・　　　　・　f　杓子定規な
⑦ 楽観的　　　　　・　　　　・　g　理想主義的

そのほかに次のような表現もよく使います。どのような人を表しているでしょうか。

| ・情熱的 | ・合理的 | ・質実剛健 |
| ・独立心が強い | ・刹那的 | ・倹約家 |

[ あなたのことばメモ ]

第7課：ステレオタイプを打ち破ろう

2）次のことばは、ある面で否定的に捉えられることが多いですが、別の視点から見たら、どのように考えられますか。

> ステレオタイプの考え方は、物事のある一面しか見ていないことが多いです。ステレオタイプにとらわれず、別の視点も持てると、物事を素直に正確に捉えられ、考え方の幅が広がることにもつながります。

例： 集団主義的
　　→　否定的なステレオタイプ：個人の自由や考えよりも、集団の利益を第一に考える。
　　　　別の視点から見た考え方：多くの人が協力し合って大きな目標に向かって努力している。

① 個人主義的
　　→　否定的なステレオタイプ：
　　　　別の視点から見た考え方：

② 封建的
　　→　否定的なステレオタイプ：
　　　　別の視点から見た考え方：

③ 自由奔放
　　→　否定的なステレオタイプ：
　　　　別の視点から見た考え方：

## ● やってみよう １

1）あなたの国のある世代の人々、または、ある地域の人々について、一般的に言われているステレオタイプを別の視点から見て話してみましょう。

**例：集団主義的な傾向について**

> Ⅰ．日本の昭和一ケタ世代の人々は集団主義的だとよく批判されています。
> Ⅲ．個人の自由を最も尊重すべきだという考え方の人から見れば、それは確かに悪い特徴になります。でも、みんなが協力し合って、一つの目標に向かって努力しているという面から見れば、一概に悪いとは言えないと思います。

[話すためのメモ]

| 否定的なステレオタイプ | → | 別の視点から見たあなたの考え方 |
|---|---|---|
|  |  |  |

第7課：ステレオタイプを打ち破ろう

## ● 話す技法・聴く技法 ●

😊 話を聞いて、そういう考え方もあると思えましたか。
　（　はい　・　いいえ　）

😊 「いいえ」の人は、そのことをどう思いましたか。
　・自分の考え方のほうが正しいと思った。
　・おもしろいと思った。
　・変だと思った。
　・いろいろな感じ方があると気づいた。
　・その他：

📋 自分の考え方を、友だちは理解してくれましたか。
　（　はい　・　いいえ　）

📋 「いいえ」の人は、そのことについてどう思いましたか。
　・悲しかった。
　・残念だった。
　・理解できないのが信じられないと思った。
　・自分の感じ方が変わっているのかなと思った。
　・その他：

> 　同じ物事に対して、人によって感じ方や考え方が違います。捉え方の違いを理解して、お互いに尊重できるといいですね。
> 　一般的な意見や相手の意見に反論するときは、まず、それを受け入れることばを述べてから、自分の意見を言いましょう。そのことばがクッションになって、反論しても大きな衝撃になるのを防いでくれます。クッションになることばについて、Step.2 で勉強しましょう。

ステレオタイプを打ち破ろう：第7課

# Step.2 【決めつけない言い方で述べる意見と裏づけ】

● どんなことばで 2

1）①～③で、決めつけてしまわない意見の言い方はどちらでしょうか。
④と⑤は決めつけてしまわない言い方を考えて友だちに話してみましょう。

> 自分以外の考え方を全く否定してしまうのは、聞いていてあまり気持ちがよくないことが多いです。

① a．そんな考え方はおかしいと思います。こちらの考え方のほうがいいです。
   b．そんな考え方もあると思いますが、こちらの考え方のほうが、**適切ではないでしょうか。**

② a．そんなふうに考えるのは変だと思います。こんなふうに考えるべきです。
   b．**そんなふうに考える方もいらっしゃると思いますが、こんなふうに考えることもできるのではないでしょうか。**

③ a．そう考える人が多いですが、わたしは違うと思います。
   b．そう考える方が多いですね。**ただ、少し違う見方もあるのではないかなと思います。**

④ 一般的にそう言われていますが、わたしは違う考え方を持っています。
   ⇒一般的にそう言われていて、確かにそういう面があると思います。ただ、
   （                                              ）

⑤ それは間違った見方で、こちらの見方のほうが正しいです。
   ⇒（                                              ）

第7課：ステレオタイプを打ち破ろう

2）事情を説明することば

> 背景にある事情も説明すると、そのときの人々の気持ちや行動の意味をよりわかりやすく伝えることができます。

① 行かざるを得なかったんです。　・　　・a　その人の意思を無視して、そうすることを強制された。

② 皆が好景気に踊らされていたんです。　・　　・b　あまりしたくないけれど、そうしないといけない事情があった。

③ 働くことを強いられた時代だったんです。　・　　・c　やりたいけれど、思うようにできない状況がある。

④ 働きたくても就職がままならない現実がありました。　・　　・d　そうすることで精一杯で余裕がない。

⑤ 遊ぶどころか毎日の生活に追われていました。　・　　・e　何かに強い影響を受けて、それに操られるように動く。

## ● やってみよう ②  ペアワーク

1) あなたの国のある世代やある地域の人々に対するステレオタイプについて、具体例を挙げて事情を説明し、やってみよう①の内容を発展させて、例のように反論してみましょう。

**日本の昭和一ケタ世代の人々に対するステレオタイプへの反論の例**

> Ⅰ．日本の昭和一ケタ世代の人々は、日本の高度成長期を支えてきた世代で、**一般的に我慢強くて働き者で、会社に一生仕えた会社人間だと言われています。**
>
> Ⅱ．**確かにそういうふうに見えるかもしれません。でも、それは少し違うように思います。**
>
> Ⅲ．個人の自由を最も尊重すべきだという考え方の人から見れば、それは確かに悪い特徴になります。でも、**別の視点から見ると、**みんなが協力し合って、会社の業績を上げるという一つの目標に向かって努力しているということ**であって、一概に悪いとは言えないと思います。**
>
> Ⅳ．**例えば、**その世代のサラリーマンは、会社のことを第一に考えて、会社のために、家族を残して休日出勤したり、深夜まで働いたりして毎日の生活に追われていました。それは、家族のために、そう**せざるを得なかった**とも言えます。**というのは、**会社の業績が上がれば、徐々に自分たちも出世できたり給料が上がったりして、家族を経済的に豊かにすることができたからです。経済力だけが幸せの条件ではありませんが、家庭にテレビや洗濯機を揃え、子どもによりよい教育環境を提供できるようになり、確実に家族の生活は豊かになりました。経済成長期の日本においては、経済力は幸せの一つの条件だったと思います。
>
> Ⅴ．**つまり、**昭和一ケタ世代の生き方は、親としての責任を果たすための、その時代が生んだ一つの生き方だったと言えると思います。

第7課：ステレオタイプを打ち破ろう

［話すためのメモ］

Ⅳ．自分の考えを裏づける具体例

Ⅴ．まとめ

［友だちの話メモ］

|  | （　　　　　）さん | （　　　　　）さん |
|---|---|---|
| Ⅰ．ステレオタイプの紹介 | | |
| Ⅱ．それに対する自分の考え | | |
| Ⅲ．別の視点から見た意見 | | |
| Ⅳ．自分の考えを裏づける具体例 | | |
| Ⅴ．まとめ | | |

# 第8課
# 就職試験制度について説明しよう

---【目標】---

1. 抽象的で複雑な制度を説明する。

2. それぞれの立場のメリット・デメリットを考える。

3. 相手にわかりやすいように段落ごとの話題を明示する。

● さあ始めよう！

日本の就職試験の制度を知っていますか。
(　　　　　　　　　　　　　　　　　　　　　)

日本の制度について知りたいものがありますか。
(　　　　　　　　　　　　　　　　　　　　　)

第8課：就職試験制度について説明しよう

● 何をどんな順序で

> 何かの制度について詳しく話すとき、話題ごとに話すと聞く人が理解しやすいです。

Ⅰ. 就職試験制度の特徴　　　　　　　　　　　　　　　　　（　）

Ⅱ. 制度のできた社会的背景　　　　　　　　　　　　　　　（　）

Ⅲ. 具体的な内容と手順　　　　　　　　　　　　　　　　　（　）

Ⅳ. メリットとデメリット　・受験者側　　　　　　　　　　（　）
　　　　　　　　　　　　　・採用側

Ⅴ. まとめと今後の動き　　　　　　　　　　　　　　　　　（　）

次のa〜eは上のⅠ〜Ⅴのどの部分に当たるでしょうか。

a．就職試験には受験者側と会社側の視点から見るとそれぞれメリットやデメリットがあります。試験が各社ほぼ同時期に行われることで受験者は集中して取り組めます。そして、多くの会社から内定を得られる学生もいますが、会社側には内定辞退により必要な人材を得られない恐れもあります。

b．制度の背景には、終身雇用制や年功序列制の考え方があり、経歴に空白があることや短期間で退職することなどは嫌われるのが一般的です。

c．今後の動向として、少子化に伴って売り手市場、青田買いという傾向が考えられます。また、入社時期が卒業してから半年後、1年後に猶予されるなどの会社も出てきました。今後は経済状況や労働に対する意識の変化により就職制度も多様化していくものと思われます。

d．日本の就職試験の特徴として、新卒者の入社試験がほぼ同時期に行われることや、採用において新卒者が優遇されることなどが挙げられます。

e．就職試験は一般公募で行われますが、大学推薦や縁故などもあります。試験の内容はエントリーシートや書類審査、筆記試験、面接試験などです。手順はふつう、エントリーシートの提出、会社の説明会参加、筆記試験と面接試験を受けるという流れです。

就職試験制度について説明しよう：第8課

## Step.1 【制度の特徴・背景と内容・手順の説明】

● **どんなことばで** 1

1) 就職試験の特徴を例のように（　）内のキーワードを使って説明しましょう。

**例：新卒者優遇　（採用枠・卒業後すぐ入社・第二新卒）**

> 日本の大学や大学院などの新卒者の就職試験の時期は決まっています。新卒学生の採用枠があり、新卒者に有利な状況があります。しかし、その枠を使って受けられるのは卒業後すぐ入社する場合、または、第二新卒といって卒業後3年以内ぐらいまでの人たちに限られます。

① 就活スタイル（就職活動・会社訪問・スーツをあつらえる）

② 大学推薦（成績優秀な学生・学校の代表・優遇される）

③ 縁故採用・コネ（OBやOG・親戚や両親の知り合いなど・有利になる）

2) 就職試験制度の社会的背景

> 制度の背景も伝えると制度の目的や内容がよくわかり、その社会の理解も深まります。

① 日本は終身雇用制をとっている会社が多く、（　　　）まで一生の仕事と考える傾向がありました。入る会社によってその人の一生が（　　　）されるため、新卒者が就職試験にかける（　　　）も違ってくるんです。

② 年功序列制をとっている会社は、その会社での（　　　）を重視するので、ほかの会社の経験者を（　　　）するより新卒者の採用を優先しています。

③ 学歴を重視する傾向がある社会なので、有名大学に求人が集中することがあります。偏差値で大学のランクがわかるようになっていて、有名大学進学を目指す（　　　）も相変わらず厳しい状況となっています。

```
a. 勤続年数や経験    b. 中途採用    c. 意気込み
d. 受験競争    e. 定年    f. 左右
```

第8課：就職試験制度について説明しよう

3）具体的な内容と手順

① 日本の大きな企業に入社を希望する場合、一般的には企業の（　　　）に参加することが必要です。そのために申し込みはがきや（　　　）の提出が求められます。その資料が書類審査に使われます。志望動機や経歴、成績などにより会社に必要な人材かどうか見られます。

② その後、（　　　）に通ると、筆記試験があります。筆記試験では、（　　　）や常識問題、小論文などによりその人の（　　　）を評価されます。

③ 筆記試験に合格すると、（　　　）が受けられます。採用担当者や役員などとの面接で、（　　　）について評価されます。

④ それに合格すると（　　　）をもらえて、卒業後正式に採用の運びとなります。内定後、会社によっては特別な（　　　）が行われる場合もあります。

> a. 研修　b. 面接試験　c. エントリーシート　d. 書類選考　e. 内定
> f. 適性検査　g. 適性や能力　h. 人柄・人物　i. 説明会

一般的な就職活動の流れについて、A子さんの場合で見てみましょう。

**日本の場合のフローチャート　大学3年の6月～**

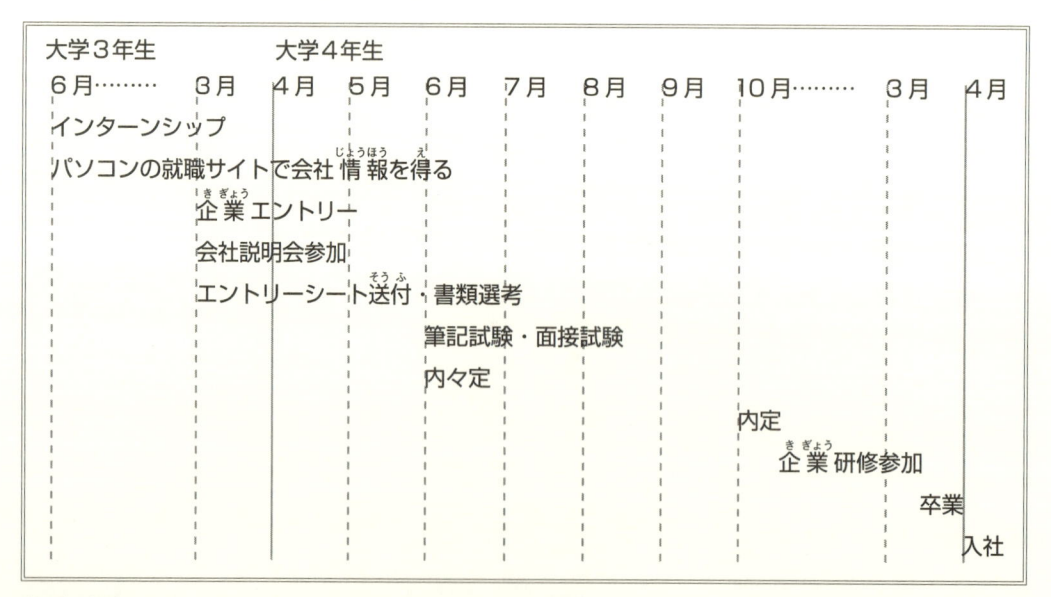

```
大学3年生        大学4年生
6月………  3月  4月  5月  6月  7月  8月  9月  10月………  3月  4月
インターンシップ
パソコンの就職サイトで会社情報を得る
            企業エントリー
            会社説明会参加
            エントリーシート送付・書類選考
                        筆記試験・面接試験
                        内々定
                                        内定
                                            企業研修参加
                                                    卒業
                                                    入社
```

就職試験については、その年度や人によってさまざまですが、大学3年の3月ごろから活動を始めます。内定がもらえるまで何社も回らなければならない学生も少なくありません。

## ● やってみよう 1  [ペアワーク]

自分の国の就職試験の制度について日本の場合を参考に、フローチャートを書いてみましょう。そして、フローチャートからⅠ. 自分の国の試験制度の特徴～Ⅲ. 具体的な内容と手順について話しましょう。話を聞いている人はもっと詳しく知りたいことについて質問しましょう。

［フローチャート］

［話すためのメモ］

　Ⅰ. 就職試験制度の特徴


　Ⅱ. 制度のできた社会的背景


　Ⅲ. 具体的な内容と手順


［友だちの話メモ］

第8課：就職試験制度について説明しよう

## Step.2 【メリット・デメリットの説明と今後の動向】

● **どんなことばで ②**

1）メリットとデメリットをa～hから選び、ほかにどんなメリット・デメリットがあるか話し合いましょう。

> メリット・デメリットを取り上げることでその制度の問題点も見えてきます。

| 受験者側 | | 会社側 | |
|---|---|---|---|
| メリット | デメリット | メリット | デメリット |
|  |  |  |  |

a．面接試験で多くの学生を比較し、学力や人物を総合的に見られる。
b．試験が同時期に行われるので、集中して取り組むことができる。
c．事前にエントリーシートを見て志望動機や経験などが把握できる。
d．大学名で選考が行われると、実際の人物評価がされずに切り捨てられる。
e．紹介者の有力なコネなど人脈がないと不利になることもある。
f．インターンシップにより仕事が経験できて会社のようすもわかる。
g．多くの会社を回るため、授業に集中できない。
h．優秀な学生は他社からも内定をもらうため、辞退者が出る可能性がある。

2) 今後の動向

> 動向を示すことばを使うと簡潔で的確に話すことができます。

例：青田買い　　（ c ）
① 売り手市場　　（　　）
② 実力主義・能力主義・成果主義　（　　）
③ 入社時期の多様化　（　　）
④ 雇用形態の多様化　（　　）
⑤ 中途採用・経験者優遇　（　　）

---

a．即戦力として経験者を優先的に採用する企業もあり、敗者復活の機会、再チャレンジも可能となり、新卒のワンチャンスで人生が決まるという考え方も変わりつつあります。

b．労働人口の減少により就職希望の学生に有利な状況です。

c．少子化による労働力不足で企業が早い時期から内定を出す傾向があります。

d．各自の能力により仕事の目標を決め、その成果を評価します。

e．会社での働き方は正社員や契約社員、派遣社員、パートやアルバイトなど形態はさまざまです。

f．入社の時期は4月が一般的ですが、入社試験の回数を増やしたり入社時期を卒業後半年、1年後まで猶予したりする会社も出てきました。

第8課：就職試験制度について説明しよう

● やってみよう ②  [発表]

やってみよう①の内容を発展させて、あなたの国の就職試験制度について、Ⅰ．制度の特徴～Ⅴ．まとめまでを話してみましょう。

> 長い話は聞く人も大変なので、何の話かよくわかるように話のまとまりごとに話題を明示するといいですね。

**日本の就職試験制度の例**

Ⅰ．**日本の就職試験制度の特徴**として、まず時期が挙げられます。新卒社員の入社は4月1日で、ほぼ同時期に採用試験が行われます。また、新卒の学生を限定で採用する会社が大多数で新卒者が優遇されています。ですから、大学生が3年生の3月ごろからリクルートスーツと呼ばれる同じような服を着て就職活動に駆け回る姿があちこちで見られるのです。

Ⅱ．**この制度の背景**として、日本の終身雇用制度があり、一生同じ会社で定年まで働くという考え方があります。入る会社によってその人の人生が決まると言われ一生が左右されるものなので、1回のチャンスにかける意気込みが違うのもうなずけるでしょう。

Ⅲ．**就職試験には募集対象**により一般公募と推薦、縁故などがあります。そして、**就職までの手順**は、まず大学の就職ガイダンスを受け、会社の説明会に参加します。その後、会社にエントリーシートを提出し、筆記試験、面接試験などを受けて「内定」を取り付けます。卒業までに社内研修やレポート提出などがある会社もあります。エントリーシートは履歴書と考えればいいのですが、個性を生かし、会社の人の目を引くように書く必要があります。

Ⅳ．**就職試験のメリットとデメリット**については、受験者側と採用側の立場によりさまざまです。各社同時期に試験が行われるので受験者は集中して試験に取り組めますが、就職活動により、大学での専門研究がおろそかになるという問題もあります。また、内定を多くの会社から得られる学生もいて、会社側には内定辞退により必要な人材に逃げられるという恐れもあります。
さらに、エントリーシートは会社が事前に志望動機を把握できるというメリットもありますが、受験生にとっては直接人物評価を受けられずに切り捨てら

れてしまうというデメリットもあります。
V. 今後の動向として、少子化による労働人口の減少で売り手市場、青田買いという状況が考えられます。そのため、試験の回数を増やす、入社の時期を卒業後半年、1年後まで猶予するというところもあります。今後、入社試験の制度も多様化していくものと思われます。

［あなたの話メモ］

IV. メリット・デメリット



V. まとめと今後の動き

第8課：就職試験制度について説明しよう

● 話す技法・聴く技法 ●

😊 だれの制度の伝え方がいちばんわかりやすかったですか。
（　　　　　　　　さん）

😊 それはどうしてですか。
・抽象的で複雑なことを具体的に説明した。
・自分の考えが述べられていた。
・自分の国と同じような制度だった。
・これから話す話題を示してから説明した。
・その他：

😐 制度についてみんなにわかってもらえたと思いますか。
（　はい　・　いいえ　）

😐 「いいえ」の人はどうしてわかってもらえなかったと思いますか。
・抽象的な述べ方で具体的ではなかった。
・自分の考えが表現できなかった。
・質問に答えられなかった。
・何の話題かわかりにくかった。
・その他：

> 長くまとまった話をするときやいろいろな話題について話す場合は、「Aについては／Bについては」とか「Cとしては／Dとしては」などと並べる表現を使って説明すると聞く人がわかりやすくなります。段落ごとにこれから何について説明するのか、話題や内容が明確に理解しやすいように聞く人に配慮をすることが大切ですね。ほかにも「次に〜の話なんですが」や「〜について次に説明しますと」なども使うことができます。

# 第9課
# 働くことの意義について討論しよう

---【目標】---

1. 理由を述べて反論する。
2. 抽象的（ちゅうしょうてき）なことばと具体的（ぐたい）なことばを意識（いしき）する。
3. 相手（あいて）の意見をしっかりと受（う）け止める。

● さあ 始めよう！

どんな仕事をしたことがありますか。楽しかったことはどんなことでしたか。
(                                              )

嫌（いや）だったことはどんなことでしょうか。
(                                              )

人は何のために仕事をするのでしょうか。
(                                              )

第9課：働くことの意義について討論しよう

● 何をどんな順序で

> 効果的に意見を伝えるためには、その理由も述べると説得力のあるものとなります。理由を述べてから、意見を述べる場合と、意見を述べてからその理由を述べる場合があります。

Ⅰ.　　A：話題提起

Ⅱ.　　A：**働くことの意義**
- 意見
- その理由1
- その理由2

Ⅲ.　　　　　　　　　　　　　　　B：受け

Ⅳ.　　　　　　　　　　　　　　　B：**反論と理由**

Ⅴ.　　A：受け

Ⅵ.　　A：**反駁と理由**

働くことの意義について討論しよう：第9課

Ⅰ. A：「自分が何に向いているのかわからない。本当にやりたい仕事が見つかるまでとりあえずフリーターをやる」という若い人がいると聞きます。

Ⅱ. A：けれどもわたしは若い人には目の前にある仕事にとりあえず挑戦してほしいと思うのです。なぜなら、本当にやりたいことはそんなに簡単に見つかるものではないからです。それに、仕事を通して自分に向いていること向いていないことなどに気づくこともできると思います。

Ⅲ. 　　　　　　　　　　　　　　　　　　B：仕事を通して自分の適性に気づくというのはわたしもよくわかります。

Ⅳ. 　　　　　　　　　　　　　　　　　　B：でも、そういう面から考えると、会社に束縛されることなくいろいろな仕事を体験することができるフリーターが最適の働き方と言えると思います。

Ⅴ. A：確かにその仕事を表面的に知ることはできるでしょう。

Ⅵ. A：けれども多少嫌なことがあってもそれを乗り越えて働くという経験はフリーターではできないのではないでしょうか。責任を持って働くことを通して初めて人は磨かれるものだと思うのですが。

第9課：働くことの意義について討論しよう

## Step.1 【働（はたら）くことの意義（いぎ）についての意見】

● どんなことばで １
1) 働くことの意義に関（かん）する意見

① 最初（さいしょ）は言われた仕事をこなすという程度（ていど）でした。今ではお客様（きゃくさま）と直接（ちょくせつ）話をするなど、　　・a 飛（と）び起きて工場に行くようなことは日常茶飯事（にちじょうさはんじ）です。

② 新商品（しょうひん）開発のためのプロジェクトチームの一員になりました。困難（こんなん）に突（つ）き当たることがありますが、　　・b みんなで協力（きょうりょく）して乗（の）り越（こ）えたときには何ものにも替（か）えがたい達成感（たっせいかん）や充実感（じゅうじつ）を味わえます。

③ 大した仕事をしているわけではありませんが、社会とかかわりながら働くことで、　　・c だんだん責任（せきにん）のある仕事を任（まか）されるようになってきました。一人前と認（みと）められてきています。

④ 仕事は仕事と割（わ）り切っています。　　・d 人は鍛（きた）えられ、磨（みが）かれていくものだと思います。

⑤ もともと漫画（まんが）を書くことが好きでした。　　・e 生活のためのお金を稼（かせ）ぐ単（たん）なる手段（しゅだん）と考えています。

⑥ いつも仕事のことを考えています。夜中でも何かいい考えがひらめくと、　　・f 趣味（しゅみ）と実益（じつえき）を兼（か）ねた仕事につけてうれしいです。

⑦ 小さいころから漢字に興味（きょうみ）を持っていました。漢字の研究は奥（おく）が深（ふか）く、　　・g この研究に身（み）をささげるつもりです。

2）働くことと社会のかかわり

① 「ウチの会社」ということばに見られるように日本では、これまで会社との（　　）が強調されてきました。そのため、従業員には会社に対する（　　）や帰属意識が要求されたのです。

② 社会に対してどのような（　　）をすることができるかが仕事のだいご味だと感じています。

③ 会社で働くということには、社会通念や常識といった（　　）にはめられるという側面もあることは否めません。

④ ニート、パラサイトシングルのように（　　）すべき年齢になっても（　　）をかじり続ける若者は社会全体の重荷となっていると言えると思います。

⑤ 一人前の企業人が身につけた基礎的能力は人生の中で大きな力となります。基礎的能力というのは、やるべきことに真面目に取り組む、嫌いな人とも（　　）をつける、何が大切か優先順位を判断するなどの社会性を身につけることを言います。

⑥ 一つの仕事を続けるという経験を通して向上心や（　　）が生まれ、一人前の社会人として生きていく力が飛躍的に伸びます。

```
a．忠誠心  b．自立  c．責任感  d．一体感  e．親のすね
f．折り合い  g．枠  h．貢献
```

第9課：働くことの意義について討論しよう

3) 働くことの意義について話し合いましょう。⑤は、クラスの人が知っている職業を取り上げて考えてみましょう。

> 理由を話すときには具体的なことだけでなく、抽象的な内容も話せると説得力が増します。

① 日本の大企業でサラリーマンとして働く。
　例：生活の安定を手に入れることができ、社会的な評価も高いです。
② 個人で起業する。
③ 芸能界でタレントとして活躍する。
④ 宇宙飛行士となる。
⑤ （　　　　　　　　　　　）

> 安定・可能性・使命・チャレンジ精神・挑戦・人類・発展
> 支援・追求・達成感・粘り強さ・自己実現・〜を極める
> 名誉・知的欲求・義務・技術の向上・切磋琢磨する

[あなたのことばメモ]

― 102 ―

## ● やってみよう １  [グループワーク]

1) Ⅰ. 話題提起をしてから、Ⅱ. 働くことの意義についてのあなたの意見を理由とともに述べましょう。

**働くことの意義についての意見の例**

> Ⅰ. 最近働くことの意義がわからないという若者がいると聞きます。
>
> Ⅱ. わたしは仕事というのはお金を稼ぐ手段だと単純に考えています。つまり、生活費を稼ぐために人生の貴重な時間を**切り売りしている**ということだと思うんです。仕事のやりがいとか社会への貢献とか言う人もいますが、それは**きれいごと**だと思います。仕事は仕事と**割り切って**いますので、楽しみなど求めませんし、課せられたこと以上のことをしようとも思いません。働くこととは生きていくうえで必要な経費を稼ぐ手段だと思います。

[話すためのメモ]

```
Ⅰ. 話題提起


Ⅱ. 働くことの意義


```

2) 友だちの意見をメモしましょう。

|  | 意見 | 理由 |
|---|---|---|
| (　　) さん |  |  |
| (　　) さん |  |  |
| (　　) さん |  |  |

第9課：働くことの意義について討論しよう

# Step.2 【反論と理由】

## ● どんなことばで ②

1) 仕事をしているようすを表す擬態語

> 具体的な例を出して反論をするとわかりやすいです。また、擬態語を使うと働いている状況が端的に伝わります。

① 毎日くたくたになるまで仕事をしています。　　　・a 手際よく素早いようす

② ばりばり仕事をこなしています。　　　　　　　・b 真面目に続けるようす

③ てきぱきと仕事を片付けます。　　　　　　　　・c 効率よくしない結果、進行が遅く、長時間続くようす

④ 長電話をしたり、お茶を飲んだりしてだらだらと仕事をしています。　・d 精力的に仕事に取り組むようす

⑤ こつこつ働いています。　　　　　　　　　　　・e 傷ついたりもろくなったりするようす

⑥ 体がぼろぼろになるまで働いて、過労死寸前でした。　・f 区切りをつけないで長引かせるようす

⑦ フリーターをずるずると続けて30歳になってしまいました。　・g 疲れ切っているようす

仕事をしているようすを表すときに使える擬態語には次のようなものもあります。

| たんたんと ・ さっさと ・ きちんと ・ もたもたと ・ もくもくと ・ あくせくと |

2）（　）のことばを使って次の意見に反論してみましょう。
① こつこつ働いてもたいした収入にはなりません。それより、パチンコで稼いだほうが、**趣味と実益を兼ねている**と言えるのではないでしょうか。
（収入が当てにならない）
⇒例：そうですね。趣味と実益を兼ねることができるというのはうらやましい働き方ですね。ただ、パチンコのように収入が**当てにならない**ものを仕事にするのはどうでしょうか。やはりこつこつ働いた時間だけ、**収入が見込める**ものを仕事にしたほうがいいと思います。確実に収入が得られるほうが、仕事を続ける意欲がわいてくるのではないでしょうか。
（ギャンブル性が高い）
⇒


② 毎日遅くまで残業をする人がいますが、だらだらと仕事を続けても効率は悪くなるばかりなのではないでしょうか。それよりもてきぱきと仕事をして、定時に帰るようにしたほうがよっぽど効率的だと思います。
（人の和が重視される）
⇒


③ 定年後も仕事を続けたいと思っています。**社会に居場所がない**というのはさびしいことです。体が動かせる限り仕事をしたいと思っています。**生涯現役**が理想です。
（後進に道を譲る）
⇒

第9課：働くことの意義について討論しよう

3) 次のようなことばで相手の考えを受け止めてから、反論しましょう。

> 反論するとき相手の考えをよく理解していることを示すと、相手も反論に耳を傾けやすいです。

- ～という点についてはわたしも賛成です。
- 総論としては賛成です。でも、～
- おっしゃることはよくわかります。実は、～
- そうですか、そこがポイントですね。でも、～
- なるほど、そう思われるのが普通です。ただ、～

例：A：毎朝、朝礼で全員集められるのは勘弁してほしいです。伝えることがあったら、メールで回せばいいと思うのですが。
　　B：そうですよね。君の言うことはよくわかりますよ。実は、初めの頃わたしもそう思っていたんです。でも、最近みんなで同じ場で同じ話に耳を傾けることが結構大切だって思うようになったんです。お互い顔を合わせることで、その日のようすがつかめるっていうことがわかってきたんですよ。

① A：女性だけお茶当番があるなんて今どき信じられません。
　　B：(　　　　　　　　　　　　　　　　　) でもね、だれかがやらなくちゃならないことなんですよ。荷物を運ぶときなんか結構男性が活躍していますよね。女性がやって当たり前って思われるのは嫌だけれど、お互い持ちつ持たれつなんじゃないかなと思うんですけどね。

② A：部のみんなで長時間討議して結論を出したのに、社長の鶴の一声で覆されるなんて、何か意見を言う意欲がなくなります。
　　B：(　　　　　　　　　　　　　　　　　) ＿＿＿＿＿＿＿＿＿
＿＿＿＿＿＿＿＿＿＿＿＿＿＿＿＿＿＿＿＿＿＿＿＿＿＿＿＿＿＿＿＿＿＿＿

— 106 —

● やってみよう 2  [ペアワーク]

1) Ⅰ. 話題提起とⅡ. 働くことの意義を話しましょう。

例：仕事が楽しいって言う人がいますけど、それはうそだと思います。仕事というのは自分の人生の大切な時間の一部を仕方なく切り売りしてお金を稼ぐことだと思っています。

[話すためのメモ]

| |
|---|
| Ⅰ. 話題提起 |
| Ⅱ. 働くことの意義 |
| |

2) 相手の人はその意見に対して、Ⅲ. 受けとⅣ. 反論と理由を述べましょう。

反論の例：確かに、仕事をしてお金を稼ぐというのは大切なことだと思います。ただそのように割り切って考えられるものでしょうか。仕事をすることを通しててきぱきと物事に対処する方法を学んだり、さまざまな人と出会ったりして、より人生を充実させることができるという考えもあるのではないでしょうか。

[友だちの話メモ]

| |
|---|
| Ⅲ. 受け |
| Ⅳ. 反論と理由 |
| |

第9課：働くことの意義について討論しよう

3）反論されたことに対してⅤ．受けとⅥ．反駁を述べましょう。

反駁の例：そうですね。仕事を通して学べることもたくさんあると思います。ただそれらの学べることは趣味の世界を通しても学べることのように思います。仕事をしなくても社会とかかわっていればいいのではないでしょうか。

[話すためのメモ]

| |
|---|
| Ⅴ．受け |
| Ⅵ．反駁と理由 |

● 話す技法・聴く技法 ●

🗨 **反論・反駁したとき、友だちはどのような反応でしたか。**
・嫌そうな顔をした。
・なるほどというような顔をした。
・闘志を燃やしたようだった。
・その他：

🗨 **友だちの反応を見てあなたはどう感じましたか。**
（　　　　　　　　　　　　　　　　　　　　　　　　　）

😊 **反論・反駁されたとき、あなたはどう感じましたか。**
・自分が否定されたようで嫌だった。
・気づかなかった点を教えてもらいありがたかった。
・相手を論破しようと思った。
・その他：

（異議あり）

😊 **それであなたはどうしましたか。**
（　　　　　　　　　　　　　　　　　　　　　　　　　）

> 反論・反駁するときには、まず相手の意見を、しっかりと受け止めるようにしましょう。直接反対意見を述べるより、相手の意見の中で同意できる点をまず述べてから、自分の意見を言うようにした方がいいです。
> 「～という点については、わたしも同意見です。」「総論としては賛成です。」などのように、相手の立場に配慮を示すことを忘れないようにしましょう。

# 第10課
# 環境問題について話そう

---【目標】---

1. 起こりうる状況を予測して議論を深める。
2. 改まった場にふさわしい表現を使いこなす。
3. 具体例を挙げるなどして実感を持って伝える。

● さあ始めよう！

環境問題についてどんなことを知っていますか。
(                                          )

あなたの国で話題となっている環境問題にはどんなものがありますか。
(                                          )

第10課：環境問題について話そう

## ● 何をどんな順序で

> 社会的な問題を話すときは、その問題の説明、具体例、その原因と対策の順番で話すと全貌がよくわかります。

Ⅰ. ｜　話題提起　｜　　　　　　　　　　　　　　　　　　　　　　　　　（　）

Ⅱ. ｜　問題の説明　｜　・定義　　　　　　　　　　　　　　　　　　　（　、　）

　　　　　　　　　・説明（問題発生の仕組み／被害の大きな地域／被害の予想など）

Ⅲ. ｜　具体例　｜　　　　　　　　　　　　　　　　　　　　　　　　　　（　）

Ⅳ. ｜　原因　｜　　　　　　　　　　　　　　　　　　　　　　　　　　　（　）

Ⅴ. ｜　対策　｜　・対策の内容　　　　　　　　　　　　　　　　　　　（　、　）

　　　　　　　　　・予想される問題点

Ⅵ. ｜　まとめ　｜　・個人的な感想や決意　　　　　　　　　　　　　　　　（　）

次のa～hは、上のⅠ～Ⅵのどの部分に当たるでしょうか。

---

a．酸性雨というのは文字通り、酸性化した雨が降る現象です。
b．雨が酸性化すると、森の木が枯れ、川や湖の水も酸性化し魚がすめなくなったりします。大理石や石膏の建築物、文化財などが被害を受けることもあります。
c．例えば、北欧には酸性化してしまい、魚がすめなくなった湖が数多くあります。
d．酸性雨の原因としては火力発電所、ごみ焼却場、工場などから排出される煙やガス、車の排ガスなどが挙げられます。
e．日本は有毒ガスの排出量を制限する条約を批准しました。
f．できることからまず始めることが大切です。わたしは車をあまり使わないようにしたいと思います。それに、省エネにも努めたいと思います。
g．酸性雨ということばを聞いたことがありますか。
h．もちろん、制限をするとき経済発展の度合いによる排出量の違いは考慮することになっています。

# Step.1　【環境問題の紹介】

● どんなことばで　1

1）環境問題とそれに関することば

温暖化　・
　　　　　　　・二酸化炭素
　　　　　　　・温度上昇
　　　　　　　・海面上昇
　　　　　　　・オゾン層の破壊
　　　　　　　・フロンガス
　　　　　　　・旱魃（干ばつ）
　　　　　　　・大気汚染

ごみ問題　・
　　　　　　　・ダイオキシン濃度
　　　　　　　・焼却施設／焼却場
　　　　　　　・埋め立て
　　　　　　　・水質汚染
　　　　　　　・熱帯雨林の伐採

砂漠化　・
　　　　　　　・入植
　　　　　　　・表土
　　　　　　　・耕作地

水不足　・
　　　　　　　・地下水
　　　　　　　・枯渇
　　　　　　　・真水／淡水

第10課：環境問題について話そう

2）まず＿＿に適当なことばを入れてその問題を定義し、それから（　）のキーワードを使って話してみましょう。

> 日常的に耳にしないことばも多いので、社会問題を紹介するときはことばの定義だけでなく、被害の大きな地域、被害の種類、その予想なども一緒に話すとわかりやすくなります。

例：定義＋被害の予想
　　砂漠化というのは、＿土地が劣化し、植物が育たなくなる＿現象です。
　　　　（　農業・営む・飢餓・土地・放棄　）
⇒　砂漠化すると、農業を営むことができなくなり、人々は飢餓に苦しむことになります。最後にはその土地に住めなくなり、放棄せざるを得なくなります。

① 定義＋被害の大きな地域
　　温暖化というのは、＿地球の＿＿＿＿＿＿＿＿＿＿＿＿＿＿＿＿＿＿＿現象です。
　　　　（　北極・南極・海面・海抜・死活問題　）
⇒　気温が上昇すると、

② 定義（被害の種類）＋被害例
　　ごみ問題には、廃棄場所の不足、＿＿＿＿施設の不足、処理にかかる経費の問題などがあります。
　　　　（　有害物質・土壌・浸透・地下水・農作物・汚染　）
⇒　ごみを埋め立てる場合、

③ 定義＋原因と被害の大きな地域
　　水不足とは、文字通り、＿＿＿＿＿＿＿＿＿＿＿＿＿＿＿ことを意味します。
　　　　（　人口・急激・産業・発展・需要・アジア・アフリカ　）
⇒

3）次に挙げる環境問題についての具体例を話してみましょう。

> 具体例を述べると、身近な問題としてよりはっきりと伝わります。

例：砂漠化

インダス、エジプト、メソポタミアなど古代文明発祥の地は、今では砂漠化していますが、古代文明が栄えていたころは緑豊かで、肥沃な大地が広がっていたそうです。

① 温暖化

② ごみ問題

③ 水不足

[あなたのことばメモ]

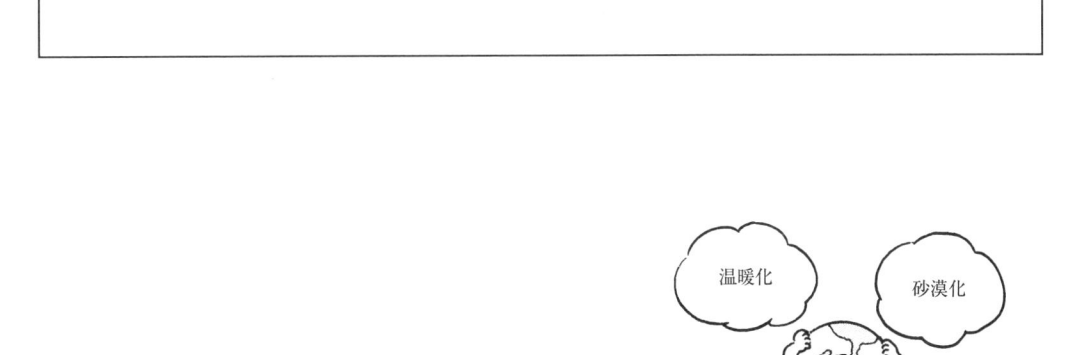

第10課：環境問題について話そう

# ● やってみよう １  グループワーク

１）身近な環境問題について紹介しましょう。Ⅰ．話題提起～Ⅲ．具体例まで話しましょう。最後にⅥ．まとめとして、自分はどう感じているか、今後どうしようと思うかなども言いましょう。

**酸性雨を紹介する例**

| |
|---|
| Ⅰ．わたしの国では、酸性雨が大きな問題となっています。 |
| Ⅱ．酸性雨というのは文字通り、雨の酸性度が上がる現象です。森林に降ると、木々が立ち枯れてしまいます。また、酸性雨が流れ込むことで、川が酸性化します。そうなると、まず小さな魚が死に、次には大きな魚も死に、ついには生き物の何もすまない川となってしまいます。 |
| Ⅲ．わたしの出身地の大通りにはきれいな街路樹があるのですが、最近、街路樹の立ち枯れが目立つようになってきました。 |
| Ⅵ．一人ひとりの力は小さいけれど、酸性雨の原因を作らないように努力しなければならないと強く思います。 |

[話すためのメモ]

| |
|---|
| Ⅰ．話題提起 |
| Ⅱ．問題の説明 |
| Ⅲ．具体例 |
| Ⅵ．まとめ |

[友だちの話メモ]

| (　　　　　)さん | (　　　　　)さん | (　　　　　)さん |
|---|---|---|
| 話題： | 話題： | 話題： |

● 話す技法・聴く技法 ●

😊 だれの問題が一番深刻だと思いましたか。
　　　（　　　　　　さん）

😊 それはどうしてですか。
　・命にかかわる問題だから。
　・身近に感じられたから。
　・説得力があったから。
　・その他：

📞 取り上げた問題を友だちは深刻に受け止めてくれましたか。
　　　（　はい　・　いいえ　）

📞 「いいえ」の人は、どうして受け止めてもらえなかったと思いますか。
　・情報が不足していた。
　・自分も大した問題だと思っていなかった。
　・伝え方が上手ではなかった。
　・その他：

環境問題のような社会的な問題の深刻さを訴えるには次のような方法があります。
・具体例を挙げる
・新聞・雑誌などからの一般的な話を挙げる
・データを示す
・権威者の話を引用する
あなたの話をさらに説得力のあるものにするための材料を探しましょう。

第10課：環境問題について話そう

# Step.2 【原因とその対策】

● どんなことばで ②

1) 改まった場での原因説明

> b．の文は改まった場でこのような話題について話すときに適した言い方です。和語よりも漢語が使用されています。

① a．経済活動の規模が急に大きくなるにつれて、環境への影響がとても大きくなり、公害や自然破壊を初めとする環境問題が起こりました。
   b．経済活動の規模が（　）に拡大するに伴い、環境への影響が（　）なものとなり、公害や自然破壊を初めとする環境問題が（　）しました。

② a．木をたくさん切ったので、森が少なくなってしまいました。
   b．木を大量に（　）したことから、森林が減少してしまいました。

③ a．砂漠化の原因は気候によるものと人によるものとに分けられますが、人による原因がとても大きいと言われています。
   b．砂漠化の原因は気候的要因と（　）要因に分けられますが、（　）がはるかに大きいと言われています。

④ a．大気中の二酸化炭素が多くなったのは、人々が石油などのエネルギーをたくさん使うようになり、二酸化炭素の出る量が大きく増えたことが主な原因だとされています。
   b．大気中の二酸化炭素の（　）が上昇したのは、人類が石油などのエネルギーを大量に（　）するようになり、二酸化炭素の（　）量が大幅に増加したことが主な原因だとされています。

⑤ a．便利さを重視したために、次々と新しい製品が開発され、まだ使えるものでも捨てて、新しいものを買うようになりました。
   b．（　）を追求したことにより、次々と新製品が開発され、まだ使えるものでも買い替えるようになりました。

> a．異常気象　b．伐採　c．濃度　d．消費　e．利便性
> f．急速　g．排出　h．人為的　i．甚大　j．発生　k．後者

— 116 —

環境問題について話そう：第10課

2）環境問題への対策について問題点を挙げてみましょう。

> 一つの対策を導入すると何らかの新たな問題が起こる恐れがあります。そこまで視野に入れて話せるとより現実的な対策となります。

対策の例　：世界の二酸化炭素の排出量を制限することが必要だと思います。
問題点の例：地球全体として考えれば、そのとおりだと思います。ただ、すでに工業化し、経済発展を遂げた国にとってはそれでいいでしょうが、これから工業化する国にとっては経済発展の大きな足かせになるのではないでしょうか。

対策1：自動車の都市への乗り入れを制限し、公共交通機関の利用を促進するようにしたらどうでしょうか。
問題点：都市の環境は改善されるかもしれませんね。ただ、＿＿＿＿＿＿＿＿＿＿＿＿＿
＿＿＿＿＿＿＿＿＿＿＿＿＿＿＿＿＿＿＿＿＿＿＿＿＿＿＿＿＿＿＿＿＿＿＿＿＿＿

対策2：各家庭や企業の電気使用量の上限を設定したらどうでしょうか。
問題点：全体としての使用量の削減は図れるかもしれません。ただ、＿＿＿＿＿＿＿＿
＿＿＿＿＿＿＿＿＿＿＿＿＿＿＿＿＿＿＿＿＿＿＿＿＿＿＿＿＿＿＿＿＿＿＿＿＿＿

対策3：太陽熱や風力のような自然の力を利用するエネルギーの開発にもっと力を入れるべきではないでしょうか。
問題点：長い目で見れば、代替エネルギー開発を重視することはそのとおりだと思います。ただ、＿＿＿＿＿＿＿＿＿＿＿＿＿＿＿＿＿＿＿＿＿＿＿＿＿＿＿＿＿＿
＿＿＿＿＿＿＿＿＿＿＿＿＿＿＿＿＿＿＿＿＿＿＿＿＿＿＿＿＿＿＿＿＿＿＿＿＿＿

対策4：温暖化ガスの排出量が多い石油ではなく、とうもろこし、さとうきびなどを原料としたバイオエネルギーを利用するといいのではないでしょうか。
問題点：＿＿＿＿＿＿＿＿＿＿＿＿＿＿＿＿＿＿＿＿＿＿＿＿＿＿＿＿＿＿＿＿＿＿

対策5：ごみをなるべく出さないようにするために、自然への還元が難しいとされるプラスチック製品の使用を禁止するというのはどうでしょうか。
問題点：＿＿＿＿＿＿＿＿＿＿＿＿＿＿＿＿＿＿＿＿＿＿＿＿＿＿＿＿＿＿＿＿＿＿

第10課：環境問題について話そう

## ● やってみよう ②　ペアワーク

1）環境問題が世界の大きな問題となっていますが、あなたの国で問題とされていることはどんなことでしょうか。やってみよう①の内容を発展させて、Ⅳ．原因〜Ⅵ．まとめまで話してみましょう。

**酸性雨の原因と対策の例**

---

Ⅳ．酸性雨の原因と考えられているのは火力発電所や工場から大気中に放出される有毒ガス、車の排ガスなのです。

Ⅴ．わたしは、人々があまり自動車を使わないようにする方法が有効だと思います。特別の許可証がなければ市街地では運転できないようにするといいと思います。もちろん、年配の方や体の不自由な方など本当に自動車が必要な方には配慮をします。
　それから、人々が有毒ガスの存在を意識することができるように、目立つところに有毒ガスの濃度や雨の酸性度を表示するのも効果的だと思います。毎日意識することにより、少しでもエネルギーの無駄遣いをしないようになり、ひいては酸性雨も少なくなると思います。もちろん町の美観には注意して設置するようにします。

Ⅵ．さまざまな意見を出し合って、少しでも酸性雨の被害を緩和することができるように努力したいと思っています。

---

[話すためのメモ]

---

Ⅳ．原因


Ⅴ．対策
　・対策の内容
　・予想される問題点


Ⅵ．まとめ

---

[友だちの話メモ]

2）友だちの話で、納得できない部分があったら例のように尋ねましょう。

　質問の例：確かに、市街地の環境は改善されそうですね。ただ、市街地内の移動のために公共交通機関を整備しなければならなくなるのではないでしょうか。そうなると、利用者が少なくても運行させなければならず、かえって排ガスが多く排出されるのではないでしょうか。

　答えの例：おっしゃるとおりです。公共交通機関の整備が急務となるのですが、その時には太陽エネルギーなど代替エネルギーを利用した交通手段の必要性を訴えたいと考えております。

| 納得できなかった点 | 友だちの答え |
| --- | --- |
|  |  |

# 第11課
# 犯罪傾向から現代社会を語ろう

──────【目標】──────

1. ほかの人の話を引用して詳細に描写する。

2. 事実とともに意見・感想を述べる。

3. 社会的背景にも配慮する。

● さあ始めよう！

最近どのような犯罪のニュースが印象に残りましたか。
(                                    )

その犯罪のニュースについてどう思いましたか。
(                                    )

第11課：犯罪傾向から現代社会を語ろう

● 何をどんな順序で

> 自分の国の犯罪について話す場合、最近起こっている犯罪の実態を話すだけでなく、意見・感想も加えましょう。そして、そのような事件が起こる裏にはどのような現代社会の背景があるのかを説明すると、聞く人が理解しやすくなります。

Ⅰ. 犯罪の実態　　・犯罪の内容と傾向　　（　）
　　　　　　　　・具体的な事件

Ⅱ. 犯罪に対する意見・感想　　　　　　　（　）

Ⅲ. 社会的背景　　　　　　　　　　　　　（　）

Ⅳ. 今後の対策　　　　　　　　　　　　　（　）

次のa～dは、上のⅠ～Ⅳのどの部分に当たるでしょうか。

a. 今後は、学校教育はもとより家族の絆を回復する努力が必要でしょう。「いじめは絶対に許さない」という運動を目に見える形で社会全体の取り組みとすることも早急に求められます。

b. いじめで警察に検挙や補導される少年犯罪がこんなに増加していることに驚きを禁じえません。教室や体育館など校内での事件が圧倒的に多いだろうと考えていたので、校外で犯罪が起こっているということに改めて問題の根深さを感じます。

c. いじめにより、校外で検挙・補導される少年犯罪が増加しています。1986年には28件だったものが、2006年には233件に上っています。2006年11月には、中学2年生がいじめを苦にして、自宅で首つり自殺をした事件がありました。その後も同様のいじめや自殺事件が続いています。

d. いじめ問題の原因として学校教育の崩壊や家族関係の希薄化などが挙げられていますが、その背景にはコミュニケーションの不足や社会にストレスが多いという問題があると思います。

## Step.1 【犯罪の実態と意見・感想】

● どんなことばで ①
1) 犯罪の内容と傾向について、(　　　)のことばを使って説明してみましょう。

例：犯罪の低年齢化
　　（全刑法犯に占める・万引きや薬物犯罪・**深刻さの度合いを増す**）
⇒　近年、犯罪の低年齢化が進んでいます。全刑法犯に占める少年の割合は４人に１人となっているそうです。小学生の万引きや薬物犯罪なども問題になっており、**深刻さの度合いは増すばかりです。**

① 出会い系サイト犯罪（中高生・後を絶たない・個人情報の書き込み）
⇒

② 架空請求詐欺（本物そっくり・公的機関を名のる・相次ぐ）
⇒

③ 隣近所とのトラブル（誤解や行き違い・大声でわめく・世間を騒がせる）
⇒

第11課：犯罪傾向から現代社会を語ろう

２）事件について的確に伝えるための引用

> 引用すると、その場のようすが具体的にわかり、状況や人の態度が的確に伝わります。

### 振り込め詐欺の例

電話で「おばあちゃん、俺、俺、俺だよ。」と孫になりすまし、「今、事故起こしちゃって、大変なんだ。お願い、すぐお金を振り込んで」などと（ことば巧みに信じ込ませ）、お金を振り込ませる「振り込め詐欺」という犯罪が社会問題になっています。被害にあった人は「突然の電話に動揺してしまい、とにかく振り込まなければと思って行動してしまった。冷静に考えれば変だとわかったはずなんだが」としきりに反省していました。

① 迷惑メール

携帯電話の普及により、さまざまな問題が発生しています。学校でも携帯メールでの連絡が一般的になっており、先生が生徒に「愛してる」などと迷惑メールを頻繁に（　　　）、**警察沙汰になる**という事件も起こっています。対応に追われた校長は報道陣に対して「学校では真面目で教育熱心な先生として、生徒にも慕われており、今回の事はまことに残念です」などと（　　　）努めています。

② 虐待

親が子どもにしつけや教育と（　　　）、食べ物を与えないとか暴力をふるうとかして、子どもを死に至らしめるという虐待事件も多く報告されています。「この子をいい子にするために体罰で教育するしかなかったんです」などと泣き崩れる光景が見られます。テレビの取材に対して近所の人は「子どもの泣き声がよく聞こえたし、子どもが汚い格好をしていて心配していた」などと（　　　）話しています。また、「役所にも通報しているのに学校や児童相談所の対応が遅い」などという批判も（　　　）います。

③ 強引な取り立て

生活苦などにより消費者金融数社から借金をしたものの、返済できないという人が増えているようです。そういう人の家や職場などに金融会社の取り立て人が

「金返せ、返さなかったらどうなるかわかってるだろうな」などと暴力まがいのことばを（　　　）脅すという事件も多くなっています。

④ 万引きと引ったくり
　小中学生がコンビニや書店で万引きをする、道を歩いているお年寄りや女性からかばんを引ったくるという事件も**一向に減りません。事件が明るみに出て**初めて、「今回が初めてで、運が悪かった。お金払えばいいんでしょう。」などと（　　　）答える子どもたちがいます。

```
a. 寄せられて    b. 平然と    c. 異口同音に
d. 送りつけて    e. 浴びせて    f. 釈明に
g. ことば巧みに信じ込ませ    h. 称して
```

3）次のように形容される事件にはどのようなものがありますか。それについてどう思いますか。知っている事件について話しましょう。

> 感想を述べることによって、事件のようすまで伝えることができます。

① 残虐な事件

② 卑劣な事件

③ モラルの低下を物語る事件


事件に対する感想を述べる表現には次のようなものもあります。

```
・空恐ろしくなる
・場当たり的な犯罪だ
・開いた口がふさがらない
・社会のひずみが凝縮されている
```

第11課：犯罪傾向から現代社会を語ろう

● **やってみよう** 1　ペアワーク

あなたの国の犯罪の実態を意見・感想とともに述べましょう。

> どんな犯罪かを述べて実態を説明し、意見・感想も加えると相手により実感を持って聞いてもらえるでしょう。

[話すためのメモ]

紹介する犯罪（　　　　　　　　　　　　）

Ⅰ．犯罪の実態

Ⅱ．犯罪に対する意見・感想

[友だちの話メモ]

# Step.2 【社会的背景と対策】

● **どんなことばで** ②

1) 犯罪の社会的背景

  ① ネット犯罪 ・ ・a 家族関係の希薄化・周囲の無関心
  ② 非行の低年齢化 ・ ・b ストレス社会・現実逃避・入手が容易
  ③ 薬物犯罪 ・ ・c 社会的なモラルの低下
  ④ 援助交際 ・ ・d 携帯電話やパソコンの普及・IT社会

2) 自分の国の犯罪について社会的背景を説明し、例のようにいろいろな側面からその対策についてグループで話し合ってみましょう。

[話すためのメモ]

```
Ⅲ. 社会的背景

(　　) の犯罪の場合


```

⇩

| Ⅳ. 今後の対策 | | | |
|---|---|---|---|
| | ① 個人的な対策 | ② 行政面の対策 | ③ その他 |
| 非行の低年齢化の場合 | ストレスをためない、いい友だち作りをする | 学校の道徳教育を充実させる | 大人の話し相手ボランティアを養成する |
| (　　)の犯罪の場合 | | | |

第11課：犯罪傾向から現代社会を語ろう

## ● やってみよう ②　発表

やってみよう①の内容を発展させて、Ⅰ. 犯罪の実態～Ⅳ. 今後の対策まで話してみましょう。

日本の犯罪傾向の例

> Ⅰ. 社会的に問題になっている犯罪というと、最近耳にするのは「カード犯罪」だとか「振り込め詐欺」だとか、隣近所の**迷惑も顧みない**「騒音問題」といったことがありますね。
>
> こういった犯罪のうち「振り込め詐欺」についてお話したいと思います。この犯罪は、ある日突然電話がかかってきて、「今、お宅の息子さんが交通事故を起こしました。わたしは警察の者ですが、相手の方が**警察沙汰**にしたくない、今すぐ**示談交渉に応じる**とおっしゃっています。とりあえず200万円用意してください。そうすれば息子さんの**将来にも傷**がつかないし、会社に知られることもありませんから」などと、ことば巧みに信じ込ませてお金を振り込ませるというものです。電話を受けた家族が「大変なことになった」と動揺してしまい、確認もせずに振り込んでしまうということです。
>
> Ⅱ. このような事件の多さに**驚きを禁じえません**。なぜ確認ができないのでしょうか。警察に連絡せずにお金を振り込んでしまうのでしょうか。警察だと名乗る相手を頭から信用してしまう心理的な盲点をついた犯罪といえるでしょうね。今後ますます**巧妙化**し増加するのではないかと懸念されます。
>
> Ⅲ. こういった犯罪が急増している社会的背景について考えますと、まず家族関係の希薄化やコミュニケーションがうまく取れなくなったことが挙げられます。さらに、**世間体を気にする**日本人の特性などもこの犯罪を**助長**していると言えるのではないかと思います。
>
> Ⅳ. 対策としては、犯人の検挙率を上げるための警察の努力もさることながら、社会全体で、家族や周囲との人間関係を築き上げていくこと、特に信頼関係の回復について真剣に考えていくことが大切ではないかと考えます。

友だちの話を聞いて意外だったことを書いておきましょう。
［友だちの話メモ］

| （　　　　）さん | （　　　　）さん | （　　　　）さん |
|---|---|---|
| | | |

第11課：犯罪傾向から現代社会を語ろう

● **話す技法・聴く技法** ●

😊 犯罪や社会的背景についてだれの話が一番わかりやすく印象に残りましたか。
　　（　　　　　　　さん）

😊 それはどうしてでしょうか。
　・実態が具体的に述べられていた。
　・引用が効果的だった。
　・意見・感想が述べられていて気持ちがよく伝わった。
　・現代社会とその背景の関連が述べられていた。
　・その他：

😊 社会的背景を聞く前後で犯罪に対する考え方が変わりましたか。
　　（　はい　・　いいえ　）

😊 「はい」の人はどうしてですか。
　・現代社会の背景がよくわかった。
　・客観的に事実を伝えていた。
　・引用を使って詳細に述べられていた。
　・自分の国と事情が似ていた。
　・その他：

😐 紹介した犯罪と社会的背景についてみんなにわかってもらえたと思いますか。
　　（　はい　・　いいえ　）

😐 「いいえ」の人はどうしてわかってもらえなかったと思いますか。
　・社会的背景がうまく説明できなかった。
　・客観的でなかった。
　・引用が効果的に使えなかった。
　・わかりやすくするための工夫ができなかった。
　・その他：

> 同じ社会問題でも国によって事情や原因が異なる場合があります。それぞれの国の文化や社会的背景などに十分配慮して多くの視点から考えながら、聞いたり意見を述べたりすることが肝要です。

# 第12課
# マスコミの功罪について討論しよう

――――――【目標】――――――

1. 複眼的視点を持って意見を述べる。
2. 原因を理解した上で解決策を述べる。
3. 異なる意見を尊重する。

● **さあ 始めよう！**

マスコミの報道が事実と異なると思ったことはありませんか。それはどんな内容でしたか。
(　　　　　　　　　　　　　　　　　　　　　　　　　　　　　　　　)

マスコミを上手に利用して、実際以上の評価を得ていると感じた人や出来事はありませんでしたか。それはどんなことだったでしょうか。
(　　　　　　　　　　　　　　　　　　　　　　　　　　　　　　　　)

第12課：マスコミの功罪について討論しよう

## ● 何をどんな順序で

> いい面もよくない面もある話題について討論するとき、次のような構成で自分の意見を述べることが多いです。

A：
Ⅰ. ┃話題提起┃　　　　　　　　　　　　　　　　　　　　（　）

Ⅱ. ┃いい面┃　・具体例1　　　　　　　　　　　　　　（　、　）
　　　　　　　・具体例2

Ⅲ. ┃よくない面┃・具体例1　　　　　　　　　　　　　（　、　）
　　　　　　　　・具体例2

Ⅳ. ┃その原因┃　　　　　　　　　　　　　　　　　　　（　）

Ⅴ. ┃解決策┃　　　　　　　　　　　　　　　　　　　　（　）

Ⅵ. ┃まとめ┃　　　　　　　　　　　　　　　　　　　　（　）


B：
Ⅰ. ┃相手意見への反論┃

Ⅱ. ┃いい面┃　・具体例1
　　　　　　　・具体例2

Ⅲ. ┃よくない面┃・具体例1
　　　　　　　　・具体例2

Ⅳ. ┃その原因┃

Ⅴ. ┃解決策┃

Ⅵ. ┃まとめ┃

次のa〜hは、Ⅰ〜Ⅵのどの部分に当たるでしょうか。

a. こうした問題が起こるのは、マスコミ報道の内容について何の疑いもなく、そのまま受け入れているからだと思います。
b. テレビや新聞などのマスコミは、毎日大量の情報を伝えており、わたしたちの生活にとって、なくてはならないものになっています。けれども、マスコミは、単に便利な情報伝達手段だと言っていいでしょうか。
c. マスコミは、世界で起きている情報をわかりやすくわたしたちに教えてくれたり、必要な情報を伝えてくれたりして、とても便利で生活に欠かせないものです。
d. けれども、いつでもわたしたちにとって有益なものとは言えません。時には、わたしたちの判断力を鈍らせ、国民を誤った方向へと扇動することさえできます。
e. そこで、これらの問題を回避するためには、いくつかの情報源を参考にして自分で判断する姿勢を養っておくといいのではないでしょうか。
f. 例えば、テレビで、行ったことのない国の情報やようすを手に取るように詳しく知ることができたり、新聞記事が複雑な国情についてわかりやすく解説してくれたりします。
g. 例えば、ある政治家の政治活動について、国民受けするような活動だけを伝えて、一部の国民を弾圧している事実などを伝えないという内容操作をすることもできます。
h. 現代社会ではマスコミなしには生活できなくなっています。だからこそ、マスコミがわたしたちにとって諸刃の剣であることを忘れてはいけないと思います。

第12課：マスコミの功罪について討論しよう

## Step.1 【マスコミの功罪とその原因や解決策】

● どんなことばで 1

1）次の表現は、マスコミのいい面・よくない面のどちらについての説明でしょうか。それぞれの意味や知っている具体例を、友だちに説明しながら、いい面には（＋）、よくない面には（－）を書きましょう。

① 大量の情報を端的にまとめて伝える（　　）
② 針小棒大に書き立てる（　　）
③ 恣意的な報道（　　）
④ 重要なのに忘れ去られた話題に光を当てる（　　）
⑤ 弾圧に屈しない報道の自由（　　）
⑥ 取りざたされている黒いうわさの真相に迫る（　　）
⑦ 腐敗した権力や暴走しやすい世論をチェックする（　　）

このほかに次のような表現もよく使われます。知らないものがあったら友だちに聞いてみましょう。

| | |
|---|---|
| ・視聴率優先 | ・色をつける |
| ・取材が殺到する | ・報道の速報性 |
| ・スキャンダルを暴く | ・過熱報道 |

2）次の表現は、マスコミの影響についての具体例を説明するときによく使われる表現です。このような現象について実例を知っていたら紹介しましょう。

① 選挙期間中、テレビに多く露出することが　　　　・　　　　・a　大きな波紋を広げます。

② その話題についての報道をやめた途端　　　　　　・　　　　・b　勝利をもたらします。

③ メディアで賛否両論を取り上げることで　　　　　・　　　　・c　身近に感じるようになります。

④ 遠い存在だった公人のプライベートな部分を紹介することで　・　　　　・d　その話題についてより一層議論を掘り下げることができます。

⑤ マスコミに持ち上げられたことで才能ある若い人が　・　　　　・e　自分を見失ってしまうことがあります。ひいては、将来性ある才能を殺してしまいかねません。

⑥ テレビでの一言が　　　　　　　　　　　　　　　・　　　　・f　多くの人がその問題に目を向けるようになります。

⑦ あまり知られていなかった問題がドキュメンタリーなどで特集されることで　・　　　　・g　人々の興味がすっと引いてしまいます。

［あなたのことばメモ］

第12課：マスコミの功罪について討論しよう

3）次の①～⑥は解決策として考えられるものの例ですが、下線の部分の言い方はa～fのどの意味でしょうか。

> マスコミの功罪について知った上で、マスコミの良さを生かしながら、問題点を解決する方法について話すと、より実りのある討論につながります。

① 根拠を確かめ、簡単に風説に惑わされない。（　　）
② マスコミ側も自らの報道の仕方について自戒する。（　　）
③ マスコミで伝えられたことを鵜呑みにするのを止める。（　　）
④ 有名人や公人などを特別扱いしない。（　　）
⑤ 何にでも二面性があることを忘れない。（　　）
⑥ 報道による会社の得失よりも、マスコミが持っている公共性を重視する。（　　）

> a．そのまま信じる　　b．世間のうわさなどを信じない
> c．普通とは異なる対応をしない　　d．社会での役割や働き
> e．有益な面と有害な面のように相反する面を持つ
> f．自分の行動が規則や道徳から外れないように自分で注意する

## ● やってみよう 1  [グループワーク]

1）マスコミの功罪について、Ⅰ．話題提起～Ⅳ．原因を自分の国の場合の具体例を挙げて説明してみましょう。また、具体例や原因を聞いて、自分の国の事情と比較してみましょう。

[話すためのメモ]

| |
|---|
| Ⅰ．話題提起 |
| Ⅱ．いい面 |
| 　　　具体例　1． |
| 　　　　　　　2． |
| 　　　　　　　3． |
| Ⅲ．よくない面 |
| 　　　具体例　1． |
| 　　　　　　　2． |
| 　　　　　　　3． |
| Ⅳ．その原因 |

2）話を聞いた後、マスコミのよくない面について、どのように解決したらいいかを話し合ってみましょう。

| よくない面と原因 | 解決策 |
|---|---|
| | |
| | |
| | |
| | |

第12課:マスコミの功罪について討論しよう

● 話す技法(ぎほう)・聴く技法 ●

☺ 友だちの国の事情(じじょう)を聞いて、信(しん)じられないことや意外なことがありましたか。それはどうして意外だと思ったのですか。
・自分の国にはないことだから。
・考え方があまりに違(ちが)うから。
・その他(た):

☺ 話をしたとき、友だちは自分の国の事情について、理解(りかい)しようという姿勢(しせい)で聞いてくれましたか。
（　はい　・　いいえ　）

☺「いいえ」の人は、どうして受(う)け止めてもらえなかったと思いますか。
・国の状況(じょうきょう)について根本的(こんぽんてき)なことを説明できなかった。
・国情が違うので友だちは理解できなかった。
・そんなことが起こるはずがないと友だちは決(き)めつけていた。
・その他:

国が違えば、さまざまな事情(こと)も異(こと)なります。相手(あいて)を尊重(そんちょう)し、相手の話を理解しようとする姿勢があれば、自分が知っている世界ではありえないようなことでも、広い世界では現実(げんじつ)にあるかもしれないという柔軟(じゅうなん)な考え方を持つことができます。

## Step.2 【異なる考えを尊重した反対意見】

● どんなことばで ②

次のどちらが相手の意見を尊重した言い方でしょうか。④、⑤については、適当な発話を（　　）に入れて話してみましょう。

> 直接的な表現で反論するより、相手の意見を尊重した言い方をしたほうが受け入れられやすく、もっと討論を発展させられます。

① a．そのご意見は、あまりに理想主義的で現実的ではないと思います。
　 b．そのご意見はごもっともだと思いますが、もっと現実的な方法について考える必要もあるように思います。

② a．Aさんのご意見は、目先のことしか考えていないと思います。
　 b．Aさんのご意見は、確かに短期的に見れば重要なことだと思います。ただ、もっと長期的な視点から問題を捉えて考えていくことも忘れてはいけないのではないでしょうか。

③ a．先ほどのご意見は、あまりにも短絡的だと思います。
　 b．先ほどのご意見は、一理あると思いますが、現実には複雑な事情もありますので、もう一歩突っ込んで考えるほうが、よりよい解決に結びつくと思います。

④ a．今のお話は自分のことしか考えていない利己的なものだと思います。
　 b．今のお話は、Aさんのお立場ではもっともなお考えだと思いますが、（　　　　　　　　　　　　　　　　　　　　　）。

⑤ a．今のご意見は、問題とは関係ない意見じゃないでしょうか。
　 b．今のご意見は、示唆に富むものだと思いますが、（　　　　　　　　　　　　　　　　　　　　　）。

第12課：マスコミの功罪について討論しよう

● やってみよう ②　グループワーク

　マスコミの活動を擁護する立場と批判する立場に分かれて、マスコミの功罪と活用の仕方について討論をしましょう。まず、それぞれの立場から、マスコミのいい点・よくない点について具体例を挙げながら述べ、どのような活用の仕方が望ましいのかを提言しましょう。その次に、相手の意見に対して賛同できる点、賛同できない点などを述べて、意見を出し合い、最も望ましいマスコミの活用の仕方を見つけましょう。

[話すためのメモ]
あなたのグループの立場：（マスコミの活動を擁護する立場・批判する立場）

---

Ⅰ．話題提起

Ⅱ．いい面

Ⅲ．よくない面

Ⅳ．その原因

Ⅴ．解決策

Ⅵ．まとめ

---

1) お互いに意見を述べ合いましょう。相手グループの話を聞きながら、賛同できる点、賛同できない点をメモしましょう。

[友だちの話メモ]

```
賛同できる点

賛同できない点
```

2) 相手グループの意見に対して、賛同できる点を述べた上で、賛同できない点について、理由や具体例を挙げながら話してみましょう。その意見を聞いて、お互いに賛同されなかった点に異論があれば、理由や具体例を挙げて反駁してみましょう。

```
賛同されなかった点

それに対する反駁
```

3) 相手の意見を十分聞いたうえで、マスコミの望ましい活用法について考えてみましょう。

```
望ましい活用法についてのアイデア
```

4) 各グループで考えたアイデアを発表しましょう。どのアイデアがよかったか話し合いましょう。

■ 参考文献

　本書は、超級話者に必要な能力や各課の目標について、下記の文献や研究結果などを参考にして考えられています。

・The American Council on the Teaching of Foreign Languages（牧野成一：監修、日本語 OPI 研究会翻訳プロジェクトチーム：翻訳）『ACTFL-OPI　試験官養成用マニュアル　1999 年改訂版』、アルク (1999)

・牧野成一・鎌田修・山内博之・齊藤眞理子・荻原稚佳子・伊藤とく美・池崎美代子・中島和子『ACTFL-OPI 入門―日本語学習者の「話す力」を客観的に測る』アルク (2001)

・荻原稚佳子・齊藤眞理子・増田眞佐子・米田由喜代・伊藤とく美「上級・超級日本語学習者における発話分析―発話内容領域との関わりから―」、『世界の日本語教育』第 11 号、pp83-102、国際交流基金日本語国際センター (2001)

・荻原稚佳子・米田由喜代・伊藤とく美・齊藤眞理子・増田眞佐子「日本語学習者の口頭運用能力における発話のまとまり方の諸相」、『日本語 OPI10 周年記念フォーラム論文集』、pp51-64、日本語 OPI 研究会 (2002)

・荻原稚佳子・齊藤眞理子・伊藤とく美「日本語 OPI に見られるストラテジーの使用について」、『エディンバラ OPI シンポジウム予稿集』、pp41-46、J-OPI　Europe・関西 OPI 研究会・ACTFL (2002)

・荻原稚佳子・齊藤眞理子・伊藤とく美・増田眞佐子「上級話者への会話教育の指針―OPI レベル別特徴の分析から、まとまりの欠如に焦点をあてて―」、『The 3rd International Symposium on OPI, The 12th Princeton Japanese Pedagogy Forum Proceedings』、pp92-102、Princeton University (2004)

著者
　荻原稚佳子
　　元　明海大学　外国語学部　日本語学科　教授
　　ＡＣＴＦＬ認定ＯＰＩテスター資格取得者
　齊藤眞理子
　　元　文化学園大学　現代文化学部　教授
　　ＡＣＴＦＬ認定ＯＰＩテスター資格取得者
　　元　ＡＣＴＦＬ認定ＯＰＩトレーナー
　伊藤とく美
　　元　岩谷学園テクノビジネス専門学校　日本語科　専任講師
　　ＡＣＴＦＬ認定ＯＰＩテスター資格取得者
　　日本産業カウンセラー協会　シニア産業カウンセラー
　　公認心理師

イラスト
　高村郁子

装丁・本文デザイン
　山田武

# 日本語超級話者へのかけはし
## きちんと伝える技術と表現

2007年 9月20日　初版第1刷発行
2024年11月27日　第14刷発行

著　者　荻原稚佳子　齊藤眞理子　伊藤とく美
発行者　藤嵜政子
発　行　株式会社　スリーエーネットワーク
　　　　〒102-0083　東京都千代田区麹町3丁目4番トラスティ麹町ビル2F
　　　　電話 営業 03（5275）2722
　　　　　　 編集 03（5275）2725
　　　　https://www.3anet.co.jp/
印　刷　株式会社シナノ

ISBN978-4-88319-449-0 C0081
落丁・乱丁本はお取替えいたします。
本書の全部または一部を無断で複写複製(コピー)することは著作権法上での例外を除き、禁じられています。

# 日本語超級話者へのかけはし
きちんと伝える技術と表現

## 解答

スリーエーネットワーク

# 第1課

● **何をどんな順序で**
　Ⅰ—c　Ⅱ–a　Ⅲ–b　Ⅳ–d

● **どんなことばで** 1
　1) c→b→d→a
　2) ①c　②a　③d　④b
　3) 解答例
　　① 社会の矛盾に迫り、権力と闘う姿を追うことで、正義とは何かを考えさせられるような映画
　　② 主人公が次から次へ新たな障害に果敢に立ち向かっていき、話がどんどん展開していくスピード感と躍動感のある映画
　　③ 次々と繰り広げられる恐ろしい映像に、思わず目を背けたくなることもありますが、ストーリーの面白さや怖いもの見たさについつい見てしまう映画
　　④ 美しい景色の中で、主人公たちの人間模様が細かに表現され、いろいろな形の愛の姿に最後はほのぼのとして心温まる感じの映画
　　⑤ ＣＧなどが多用されて、主人公が次々と敵を倒していくのですが、その格闘シーンが見せ場の一つになっていて、スピード感もあり、また、見終わった後には爽快感もある映画
　　⑥ 若い主人公が、日常のある出来事を通して成長していく姿が描かれ、だれでも一度は思い当たるような内容に思わず胸がきゅんとなる映画
　　⑦ 科学的に発達している無機質な近未来を舞台にしていて、未知の世界への旅や、宇宙戦争といった想像力に富んだストーリーだけでなく、そこに登場するユニークな科学技術なども楽しめる映画
　4) ①b　②d　③a　④c　⑤e

● **どんなことばで** 2
　1) 解答例
　　① 拒絶しているようすが表れるように演技指導する。
　　② 親しみを表すように演技指導する。
　　③ 緊張感、緊迫感などが出るように演技指導する。
　　④ 信じられないようすが出るように演技指導する。
　　⑤ 感激の一瞬や感情の高まりを象徴するように演技指導する。
　　⑥ 悲しみや苦悩が表れるように演技指導する。
　　⑦ 平穏なようすや静寂さが出るように演技指導する。
　2) ①a　②e　③c　④b　⑤f　⑥d

## 第2課

● **何をどんな順序で**
Ⅰ－b　Ⅱ－a　Ⅲ－c　Ⅳ－e　Ⅴ－d

● **どんなことばで** 1
1) ①○、×　②×、○　③○、×　④○、×　⑤○、×
　　⑥○、×　⑦○、×　⑧○、○　⑨○、×
2) 解答例
　　みんな、ちょっといい？　これ見て、何だかわかる？　そう、「こいのぼり」っていうものだね。日本の「こどもの日」に家の外に飾るんだ。これは僕の一番大事な写真だよ。見たい？　こどもの日に撮った写真なんだ。
3) ①c　②e　③a　④d　⑤b　⑥f

● **どんなことばで** 2
1) 解答例
　① どんど焼きっていうのはね、お正月の飾りや新年に書いた習字をみんなが持っていって燃やすんだ。その火でおもちを焼いて食べて病気にならないで元気に過ごせるようにと願う行事なんだよ。
　② 家の外にこいのぼりを立てて、部屋にはかぶとや強そうな侍の人形を飾るんだよ。
　③ お盆には、死んだおじいさんやおばあさんたちが家に帰ってくると言われていて、仏壇に取れたばかりの野菜や果物を食べてくださいってあげるんだよ。
　④ かぼちゃで作ったランタンっていう明かりが家の外に並べて飾ってあって、夜になるとろうそくの火がついて夢の世界みたいできれいなんだよ。
2) ①d　②b　③a　④e　⑤c　⑥f


## 第3課

● **どんなことばで** 1
1) 解答例
　① 先生、今ちょっとよろしいですか。実はちょっと事情がありまして、発表の日程を変更していただきたいんですが。
　② 部長、今、少しお時間いただいてもよろしいでしょうか。実はご相談したいことがあるんですが。
　③ すみません、これ、きのうこちらで買ったものなんですけど、取り替えていただきたいんですが。

— 3 —

2）① a　② c　③ d　④ e　⑤ b
3）解答例
　　① どうしていいかわからず悩んでいる気持ち
　　② 先のことを考えると、あまりに大変で意識がなくなってしまいそうな状態
　　③ 腹が立って本当に怒り狂いそうな気持ち
　　④ どうしていいかわからず絶望的な気持ち

● どんなことばで ②
1）解答例
　　① 資料、あとどのくらいでできそうかな。だれかに応援させようか。
　　② お宅のネコの○○ちゃん、うちの庭が気に入ったみたいで、よく遊びにくるんです。花が踏まれたりするんで、入らないようにネット張りますけどよろしくね。
　　③ ピアノの練習、本当に熱心に練習なさって偉いですね。でも時間をちょっと変えてもらえるとありがたいんですけど。
　　④ 課長、いつも責任ある仕事をたくさん任せていただいてうれしいんですが、ちょっと荷が重過ぎて、少しほかの人に回していただけないでしょうか。
2）① c　② a　③ d　④ b　⑤ e

# 第4課

● どんなことばで ①
1）①嫌気がさした　②しゃくにさわる　③はらわたが煮えくり返りそう
　　④納得がいかない

● どんなことばで ②
1）解答例
　　① 視点1：入学した目的を思い出す。
　　　 視点2：将来のことを考えると、学歴は必要。
　　② 視点1：上司の批判をするだけでなく、自分の働き方を振り返る。
　　　 視点2：我慢できないという理由でやめると、今後も同じことが起きる。
　　③ 視点1：学費や渡航費はどうするのか。
　　　 視点2：留学することが本当に必要だと思うなら、親を説得する努力をする。
2）① d　② a　③ e　④ c　⑤ b　⑥ f
3）解答例
　　① d　早く病院に行って、みてもらったほうがいいよ。
　　② b　大学での経験がきっと後で役に立つと思うよ。卒業してからでも遅くないんじゃない？

③ f 卒業することを第一に考えてやってみたら？　わたしにできることあったら手伝いますよ。
④ a それに、結婚しても仕事続けている人、大勢いますよ。
⑤ c どこへ行っても嫌なことは多かれ少なかれあるものですよ。もう少し頑張ってみたらどうですか。

# 第5課

● どんなことばで　1
1）解答例
① おはようございます。よくお休みになれましたでしょうか。（d）
② 貴重品はお持ちになってください。集合は〇時〇分です。（e）
③ 今が旬の桜海老のお食事でしたが、お口に合いましたでしょうか。（a）
④ お楽しみいただけましたでしょうか。不慣れなため、至らない点もあったかと思いますがご容赦ください。また、ぜひいらっしゃってください。（b、c）

2）解答例
① 先生、明日はどちらにいらっしゃいますか。
② 先輩、今回はお仕事でしょうか。
③ 赤い建物の前にご駐車ください／お止めください。
④ 明日は博物館をご案内したいと思っています。
⑤ ロビーでお待ちになってください。

3）解答例
① ナイトクルーズを予約いたしました。多少冷えるかもしれませんので、何か羽織るものをお持ちになることをお勧めします。
② 申し訳ありませんが、クレジットカードのお取り扱いはしておりません。
③ 明日、こちらで特にご覧になりたいところやなさりたいことがありますか。もし特にないようでしたら、市場をご案内しようと思っております。
④ タクシーをご利用になるときには、まず目的地を言って、値段の交渉をなさることをお勧めします。フロントにお尋ねいただければ値段の目安を教えてもらえると思います。

● どんなことばで　2
1）①恐れ入りますが　②あいにく　③お手数をおかけしますが　④b、f　⑤a、e
2）①a　②e　③c　④b　⑤f　⑥d
3）解答例
ご協力いただき、ありがとうございます。
事情をご理解いただき、ありがとうございました。

# 第6課

● 何をどんな順序で
　Ⅰ—b　Ⅱ—a、c　Ⅲ—d

● どんなことばで　1
1) ①−　②＋　③＋　④＋　⑤＋　⑥−　⑦＋
2) ①e　②b　③a　④f　⑤d　⑥c
3) ①a　②c　③b　④e　⑤d　⑥f

● どんなことばで　2
1) ①c　②a　③d　④b


# 第7課

● 何をどんな順序で
　Ⅰ—b　Ⅱ—a　Ⅲ—e　Ⅳ—d　Ⅴ—c

● どんなことばで　1
1) ①−b、②−a、③−d、④−g、⑤−f、⑥−e、⑦−c
2) 解答例
　　① 否定的なステレオタイプ：ほかの人のことはあまり考えず、自分勝手で利己的な行動をとる。
　　　 別の視点から見た考え方：一人ひとりの考え方を尊重することを大切に思っていて、自分の考え方を堂々と主張できる。
　　② 否定的なステレオタイプ：古い考え方を正しいと考えて、新しい考え方を取り入れることを拒絶する。
　　　 別の視点から見た考え方：昔からの伝統や先祖からの経験に基づいた考え方を尊重して、大切に受け継いでいこうとする。
　　③ 否定的なステレオタイプ：社会の規則や決まりごとなどを無視して、自分のやりたい放題にしている。
　　　 別の視点から見た考え方：自分の感性や人間本来の欲求などを大切にして、それに忠実に従って行動する。

● どんなことばで ②
1) ①b ②b ③b
   解答例
   ④ それはある一面であって、別の視点から見たら、違った考え方も見えてきます。
   ⑤ 確かにそういうふうに見えるかもしれません。でも、それは少し違うように思います。
2) ①-b ②-e ③-a ④-c ⑤-d

## 第8課

● 何をどんな順序で
Ⅰ-d　Ⅱ-b　Ⅲ-e　Ⅳ-a　Ⅴ-c

● どんなことばで ①
1) 解答例
   ① 就職活動のことを就活と呼んでいて、学生たちは就活を始めると一斉に、それまで染めていた髪を黒く染め直したり会社訪問や面接にふさわしい服装とされる黒いスーツやかばん、靴などをあつらえたりして就活に適した服装をします。
   ② 大学の成績優秀な学生は学校の代表として推薦され、就職に際して優遇されます。
   ③ 大学のOBやOG、親戚や両親の知り合いなど、入社したい会社に知り合いがいると、採用に有利になる場合があります。
2) ①e、f、c　②a、b　③d
3) ①i、c　②d、f、g　③b、h　④e、a

● どんなことばで ②
1) 受験者側メリット：b、f　　受験者側デメリット：d、e、g
   会社側メリット：a、c　　会社側デメリット：h
2) ①b ②d ③f ④e ⑤a

## 第9課

● どんなことばで ①
1) ①-c ②-b ③-d ④-e ⑤-f ⑥-a ⑦-g
2) ①d、a ②h ③g ④b、e ⑤f ⑥c

3）解答例
　① 組織の中で切磋琢磨することで自分の能力を極めることができます。
　② チャレンジ精神を満足させることができ、自分自身の可能性を試すことができます。
　③ 華やかな世界で仕事ができます。他人に見られることで、自分をさらに磨き、自己実現することができます。
　④ 危険はありますが、人類の発展のために寄与することができるという名誉ある仕事です。

● どんなことばで ②
1）①－g　②－d　③－a　④－c　⑤－b　⑥－e　⑦－f
2）解答例
　① そういう考え方もありますね。でも、本当に実益を兼ねることができるのでしょうか。パチンコはギャンブル性が高く、短時間で大もうけをすることがまれにあっても、ほとんどの場合は店内でただパチンコの台に向かうだけで無駄なお金を使うことになるのではないでしょうか。
　② おっしゃることはよくわかります。けれども、日本の組織では人の和が重視されるんです。特に自分の仕事がなくても、急ぎの仕事がそのチームにある場合、早く帰ることは「自分はそのチームの一員ではない」という意思表示とも考えられるんです。みんなで一緒にやりましょうという態度が期待されているんですね。実際、残って手伝える仕事もありますよね。
　③ いいですよね。仕事が生きがいのまま、生き生きと過ごせそうですね。ただ、高齢者がいつまでも現役で残ることになると、若い人の活躍の場を奪うことにならないでしょうか。後進に道を譲るというのも大切な考え方だと思います。
3）解答例
　① おっしゃることはよくわかります。ちょっと古いやり方かもしれませんね。
　② そう思うのが普通ですよね。実際、長くいる人ほど、意見を言わなくなっているような傾向もありますよね。でもね、だからこそ、それに慣れちゃいけないと思うんです。あきらめずに粘り強く意見を言い続ければ、だんだんと大きな力になると信じたいですね。

# 第10課

● 何をどんな順序で
　Ⅰ－g　Ⅱ－a、b　Ⅲ－c　Ⅳ－d　Ⅴ－e、h　Ⅵ－f

● どんなことばで　1

2）解答例
①　温度が上昇する
　　気温が上昇すると、北極や南極の氷が解けて、海面が上昇します。海抜の低い島国などにとっては島が沈んでしまう可能性もあり、死活問題となります。
②　焼却
　　ごみを埋め立てる場合、有害物質が土壌に浸透することがあります。地下水や農作物が汚染される危険性があります。
③　水・飲み水となる淡水が不足する
　　人口が急激に増加し、産業が発展すると、水を大量に消費するようになり、水の需要が高まります。アジア・アフリカでは多くの国が水不足に悩んでいます。

3）解答例
①　日本の平均気温は、100年前と比較すると3度上昇し温暖化が進行しているそうです。数年前には屋外で冬を越せなかった熱帯植物のゴムの木が、屋外でも枯れずに成長しているのを見てびっくりすることがあります。
②　東京23区の可燃ごみの焼却灰や不燃ごみは、最終的に東京湾の処分場に埋め立てられます。しかし、その場所にも限りがあります。観光地でプラスチック容器があふれているごみ箱を見ると何とかしなければいけないという気持ちになります。
③　地球上のすべての大陸で、地下水位が低下しているそうです。地下水の過剰なくみ上げは、人口大国の上位3か国である中国、インド、アメリカを含む多くの国で今や常態化しているといいます。わたしの国では、年に2メートルも地下水位が下がり、首都移転も考えなければならなくなっています。

● どんなことばで　2

1）①f、i、j　②b　③h、k　④c、d、g　⑤e

2）解答例
対策1：車が利用できないと、ご年配の方や、障害のある方にとってはとても不便になるのではないでしょうか。
対策2：使用量上限の設定をすると、緊急のときに電力が使えないということになるのではないでしょうか。
対策3：自然エネルギーの開発は大変予算のかかるものです。結局豊かな国は利便性と住みやすい環境を手に入れ、貧しい国は劣悪な環境に苦しむということになるのではないでしょうか。
対策4：温暖化ガスの減少につながるということでもてはやされていますが、食料になるものを原料とするというのはどんなものでしょうか。実際、とうもろこしの値段が高騰し、食料が手に入りにくくなるという現象もあると聞きます。

対策5：あらゆる製品にプラスチックは使用されています。食品トレーのように無駄なものばかりではないので、すべて使用禁止になどしたら、経済的な損失は甚大なものになるのではないでしょうか。

# 第11課

● **何をどんな順序で**
　　Ⅰ－c　Ⅱ－b　Ⅲ－d　Ⅳ－a

● **どんなことばで** 1
1）解答例
　① 携帯電話やパソコンのメールを使って、大人が中高生と性的関係をもつという犯罪が後を絶ちません。個人情報の書き込みをすることで情報がもれる場合が多いです。
　② 公的機関を名乗った本物そっくりな請求書が届き、疑わずに大金を振り込んでしまうという架空請求詐欺が相次いでいます。
　③ 隣近所の人同士がちょっとした誤解や行き違いから大声でわめいて騒音問題になり、世間を騒がせています。
2）①d、f　②h、c、a　③e　④b
3）解答例
　① 殺人事件、死体ばらばら事件、放火事件
　② カード詐欺事件、子ども誘拐事件、架空請求詐欺、振り込め詐欺事件
　③ 援助交際事件、痴漢、出会い系サイト利用事件、万引き、ごみ屋敷、粗大ごみを捨てていく

● **どんなことばで** 2
1）①－d　②－a　③－b　④－c

# 第12課

● **何をどんな順序で**
　　Ⅰ－b　Ⅱ－c、f　Ⅲ－d、g　Ⅳ－a　Ⅴ－e　Ⅵ－h

● **どんなことばで** 1
　1）①＋　②－　③－　④＋　⑤＋　⑥＋　⑦＋
　2）①－b　②－g　③－d　④－c　⑤－e　⑥－a　⑦－f
　3）①b　②f　③a　④c　⑤e　⑥d

● **どんなことばで** ②
1) ① b ② b ③ b

解答例
④ いろいろな方の立場を考慮した解決策を探ることも重要ではないでしょうか。
⑤ 今回の問題の本質から少し離れてしまったように思いますので、話を戻して〇〇についての意見を述べさせていただきます。